KB197528

AI로 완성하는 공부습관

챗GPT

자기주도 공부법

하우영 지음

ᴧᴸ 생능북스

AI로 완성하는 공부습관

챗GPT

자기주도 공부법

초판 1쇄 발행 2023년 8월 21일
초판 2쇄 발행 2023년 12월 20일

지은이 ǀ 하우영
펴낸이 ǀ 김승기
펴낸곳 ǀ ㈜생능출판사 / **주소** ǀ 경기도 파주시 광인사길 143
브랜드 ǀ 생능북스
출판사 등록일 ǀ 2005년 1월 21일 / **신고번호** ǀ 제406-2005-000002호
대표전화 ǀ (031) 955-0761 / **팩스** ǀ (031) 955-0768
홈페이지 ǀ www.booksr.co.kr

책임편집 ǀ 최동진 / **편집** ǀ 신성민, 이종무
영업 ǀ 최복락, 김민수, 심수경, 차종필, 송성환, 최태웅, 김민정
마케팅 ǀ 백수정, 명하나

ISBN 979-11-92932-30-9 13370
값 18,000원

• 이 책의 저작권은 (주)생능출판사와 지은이에게 있습니다. 무단 복제 및 전재를 금합니다.
• 생능북스는 (주)생능출판사의 단행본 브랜드입니다.
• 잘못된 책은 구입한 서점에서 교환해 드립니다.

왜 이 책을 쓰셨나요?

"선생님! ChatGPT를 공부에 활용하고 싶어요."

이런 말을 학생들로부터 자주 듣는 요즘, 학생들의 입장에서 이를 어떻게 활용할 수 있을지 고민해보았습니다. ChatGPT를 설명하는 어른들을 위한 책들은 많지만, 학생들이 직접 공부에 활용하는 책을 쓰고 싶었습니다. 이 책은 철저하게 학생들의 입장에서 ChatGPT를 공부에 활용하는 방법을 다루었습니다.

제가 운영하는 과학발명동아리에는 초등학생부터 대학생까지 모두 함께 있습니다. 그리고 그 학생 중에는 한국과학영재학교처럼 공부를 즐기는 학교에 진학해서 열심히 공부하고 있는 학생들도 있습니다. 이 책은 그런 많은 학생을 모니터링하며 알게 된 공부법을 담고 있습니다. 학생들이 중간, 기말고사를 처음 마주하는 중학생이 되거나, 공부량이 많아지는 고등학생이 되면 가장 많이 하는 질문은 "선생님, 공부를 어떻게 해야 할지 모르겠어요"입니다. 초등학생일 때는 해야 하는 공부량이 적고 시험에 대한 부담이 없어서, 학교 수업이나 학원 수업에서 선생님과 학부모님이 시키는 것만 해도 공부에 대한 필요성을 느끼지 못합니다. 즉, 스스로 공부하는 법을 아는 학생과 알지 못하는 학생이 눈에 띄지 않습니다. 하지만 이 차이는 중학생과 고등학생이 되고, 학교의 공부량이 많아질수록 눈에 띄기 시작합니다. 실제로도 이른바 선행학습을 많이 한 학생들보다, 자신만의 공부법을 잘 알고 있는 학생들이 고등학생이 되어서도 그 능력을 발휘하고 있습니다. 이렇게 중요해진 '스스로 공부법'을 ChatGPT가 더 쉽게 도와줍니다.

특히 ChatGPT는 '스스로 공부하는 능력'을 담고 있는 이른바 창의융합형 인재의 핵심역량이라는 학생들의 '자기관리역량, 지식정보처리 역량, 창의적 사고 역량, 의사소통 역량'을 기를 수 있

게 해줍니다. ChatGPT는 학생들이 스스로 시간을 잘 관리하고, 계획을 세울 수 있게 도와줍니다. 과제나 시험 준비를 할 때 어떤 순서로 해야 할지, 얼마나 시간을 들여야 할지 알려줄 수 있답니다(자기관리역량). 그리고 ChatGPT는 우리가 필요한 정보를 빠르게 찾고, 이해하며, 기억할 수 있도록 도와줍니다. 어려운 개념이나 용어가 있을 때, 친절하게 설명해 주기도 하고, 이해가 안 될 때는 다른 예시를 들어 보여주기도 합니다(지식정보처리역량). ChatGPT는 우리가 독특하고 창의적인 아이디어를 생각해 낼 수 있게 도와줍니다. 우리가 머릿속에 있는 생각을 표현하면, ChatGPT가 그것을 발전시키거나 더 좋은 방향으로 제안해 줄 수 있습니다. 이렇게 함께 논의하며, 새로운 생각이나 해결책을 찾을 수 있습니다(창의적 사고). 또 ChatGPT는 우리가 다른 사람들과 더 잘 이야기할 수 있도록 도와줍니다. 말하기가 어려울 때, 적절한 표현을 찾아서 알려주기도 하고, 다른 사람들의 의견을 경청하고, 적절한 답변을 하도록 도와줘서 대화를 더 원활하게 이끌어갈 수 있게 도와줍니다(의사소통역량).

저는 중학교 시절 내신 전교 1등을 했습니다. 몇 페이지에 몇 번째 줄에 있는 내용까지 달달 외워서 새벽에 주무시는 아버지, 어머니를 깨워서 시험 범위의 내용을 설명하던, 그만큼 공부를 좋아했던 저입니다. ChatGPT가 그때 나왔더라면 공부 시간도 줄이고, 잠도 더 자며, 조금 더 쉽게 공부했을 것입니다.

저는 드라마 KAIST를 보고 로봇 축구를 해보고 싶어서 경남과학고등학교에 입학했습니다. 과학고에서는 화학 공부를 좋아하게 되어, 일반화학, 분석화학, 유기 화학 원서를 열심히 영영사전을 찾으며 공부했던 기억이 납니다. ChatGPT가 그때 나왔더라면 모르는 단어도 쉽게 검색하고, 내용과 관련된 해외 참고 서적도 찾아 읽으며 화학 공부를 더 쉽게 공부했을 것입니다.

경남과학고 수학실에는 사방이 칠판으로 둘러싸여 있습니다. 수학 시간이 시작되면 모두 자기 칠판 앞으로 가서 자신이 맡은 개념을 설명하고, 문제 풀이를 알기 쉽게 친구들에게 설명합니다. 한 과고 동창 친구는 늘 "우영이가 가르쳐주는 게 제일 이해가 잘돼, 설명을 최고로 제일 잘 해줘."라며 한 달에 한 번 단체 귀가 후엔 직접 싸온 김밥을 선물로 주곤 했습니다. 이런 친구들이 하나 둘 생겨나며, 나름 경남과학고 안에 팬클럽이 있던 저는 남들에게 가르치고 설명하고

함께 나누는 보람과 기쁨을 알게 되고, 교사라는 새로운 꿈을 꾸게 됩니다. ChatGPT가 그때 나왔더라면 다양한 문제 풀이 방법으로, 더 많은 친구에게 인기가 있었을 것입니다.

완벽한 이과였던 저는 문과 계열인 교육대학을 입학하고 수많은 교과교육학 시간, 그리고 글쓰기 과제에 뒤늦게 인문학책도 읽고, 교과 교육학 공부도 하며 남보다 더 노력해야 했습니다. 결국 과탑으로 졸업하긴 했지만, ChatGPT가 그때 나왔더라면 대학 공부가 더 쉬워졌을 것입니다.

그리고 교사가 된 이후, 첫날부터 과학발명동아리 〈Little Newton〉을 만들어서 방과 후, 주말, 방학할 것 없이 온오프라인으로 만나서 학생들과 함께하고 있습니다. 졸업생들까지 참여하는 동아리 모임이라서 이제 식구가 제법 많습니다. ChatGPT가 좀 더 빨리 나왔더라면, 'ChatGPT로 공부하는 방법'을 미리 알려주고, 학생들이 중고등학교에서 겪은 공부와 관련된 어려움을 덜어줄 수 있었을 것입니다.

지금은 새로운 도전을 하며 EBS 한국교육방송공사에서 근무를 시작했습니다. 파견 교사 시험을 준비하며 각종 자료를 찾고, 면접시험 공부를 했습니다. ChatGPT를 좀 더 빨리 알았더라면, ChatGPT에게 면접관 역할을 주고 리허설도 많이 했을 것입니다.

이렇게 공부에 공부를 거듭하며, 지금도 열심히 ChatGPT를 공부하고 있는 저, 하우영 선생님입니다. 여러분에게 있어서도, 인생은 공부의 연속일 가능성이 큽니다. 그래서 ChatGPT를 좀 더 빨리 배우고 여러분의 공부에 접목할 수 있는 노하우를 쌓는다면 남보다 더 빨리 경험하고 도전할 기회가 생길 수도 있습니다. 그래서 공부 노하우를 ChatGPT 활용법으로 녹여 담아보았습니다. 초등학생, 중학생, 고등학생, 그리고 학부모님들이 함께 참고하실 수 있는 이 책을 통해, ChatGPT의 다양한 활용 방법을 알아보고 적극적으로 활용해보시길 바랍니다.

2023년 8월
하 우 영

이 책의 사용법

❶ 챗GPT가 무엇인지, 공부에 어떤 도움이 되는지 알아보고, 챗GPT의 기본 사용법을 알아봅니다.

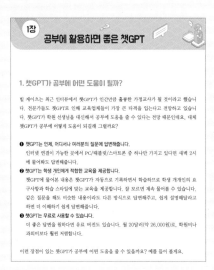

❷ 챗GPT에 질문할 때 좋은 답변을 얻기 위해 알아야 할 방법과 부정확한 답변을 받았을 때 처리하는 방법을 알아봅니다.

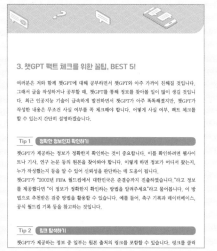

❸ 저자가 만든 〈챗GPT 학습법 프롬프트 공식〉, 즉 챗GPT를 통해 공부 관련 질문 양식을 확인한 후 공식마다 수록된 예시 질문을 통해 어떤 답변을 받을 수 있는지 확인합니다. 독자들은 이 공식을 응용하여 다양한 질문을 통해 공부에 도움되는 내용을 얻을 수 있습니다.

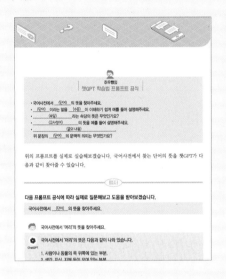 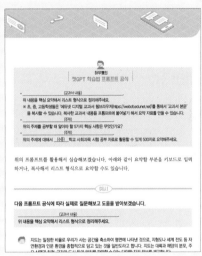

❹ 본문에 수록된 〈챗GPT 학습법 프롬프트 공식〉들은 본문 뒤쪽에 있는 부록에 한꺼번에 정리하였으며 생능출판사 홈페이지에서도 PDF 파일로 다운로드받을 수 있습니다.

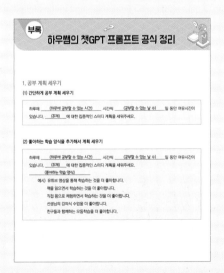 

차례

프롬프트 다운로드 방법

- 본문에서 사용된 프롬프트 공식은 생능출판사 홈페이지에서 PDF 파일로 다운로드할 수 있습니다.
- 다운로드 방법 : 생능출판사 홈페이지(https://booksr.co.kr/)에서 '챗GPT'로 검색 → 해당 도서명을 찾아 클릭 → [보조자료]에서 다운로드

1편

준비하기

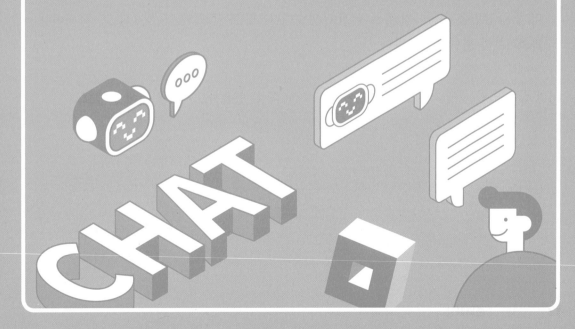

1장 공부에 활용하면 좋은 챗GPT

1. 챗GPT가 공부에 어떤 도움이 될까?

빌 게이츠는 최근 인터뷰에서 챗GPT가 인간만큼 훌륭한 가정교사가 될 것이라고 했습니다. 전문가들도 챗GPT로 인해 교육업체들이 가장 큰 타격을 입는다고 전망하고 있습니다. 챗GPT가 학원 선생님을 대신해서 공부에 도움을 줄 수 있다는 전망 때문인데요, 대체 챗GPT가 공부에 어떻게 도움이 되길래 그럴까요?

❶ 챗GPT는 언제, 어디서나 여러분의 질문에 답변해줍니다.

인터넷 연결이 가능한 곳에서 PC/태블릿/스마트폰 중 하나만 가지고 있다면 새벽 2시에 물어봐도 답변해줍니다.

❷ 챗GPT는 학생 개인에게 적합한 교육을 제공합니다.

챗GPT에 물어본 내용은 챗GPT가 자동으로 기록하면서 학습하므로 학생 개개인의 요구사항과 학습 스타일에 맞는 교육을 제공합니다. 잘 모르면 계속 물어볼 수 있습니다. 같은 질문을 해도 비슷한 내용이라도 다른 방식으로 답변해주고, 쉽게 설명해달라고 하면 더 이해하기 쉽게 답변해줍니다.

❸ 챗GPT는 무료로 사용할 수 있습니다.

더 좋은 답변을 원한다면 유료 버전도 있습니다. 월 20달러(약 26,000원)로, 학원비나 과외비보다 훨씬 저렴합니다.

이런 장점이 있는 챗GPT가 공부에 어떤 도움을 줄 수 있을까요? 예를 들어 볼게요.

 subject라는 단어의 뜻을 설명하고 이 단어가 포함된 영어 문장 3개를 만들고 번역해줘.

ChatGPT subject라는 단어는 여러 가지 의미가 있습니다. 주요 의미로는 (1) 주제, (2) 과목, (3) 주어 등이 있습니다.

영어 문장 3개:
1. The subject of the meeting was the new project proposal. (회의의 주제는 새로운 프로젝트 제안이었습니다.)
2. I am taking a course on the subject of science. (나는 과학 주제의 강좌를 수강 중입니다.)
3. The subject of the sentence performs the action. (문장의 주어는 동작을 수행합니다.)

놀랍지 않으세요? 이번엔 수학 문제를 물어볼게요.

 4(4x-2)=2x+2 문제 풀어줘.

ChatGPT 먼저 괄호 안의 식을 전개합니다:
$16x - 8 = 2x + 2$

그다음, 변수를 한 쪽으로 몰고 상수항을 한 쪽으로 옮깁니다:
$16x - 2x = 2 + 8$

계산을 통해 식을 단순화하면:
$14x = 10$

마지막으로, x를 구하기 위해 양변을 14로 나눕니다:
$x = 10 / 14$

따라서 답은 $x = 5/7$입니다.

해답뿐만 아니라 풀이 과정도 친절히 알려줍니다. 이렇게 놀라운 챗GPT가 무엇인지 알아야 제대로 사용할 수 있겠죠? 이제 챗GPT에 대해 본격적으로 소개하겠습니다.

2. 챗GPT란?

GPT(Generative Pre-trained Transformer)*는 컴퓨터와 사람이 채팅처럼 대화를 나눌 수 있는 인공지능 모델입니다. 챗GPT(ChatGPT)는 GPT라는 모델을 사용해 여러분이 하는 말을 이해하고 그에 맞는 대답을 할 수 있는 대화형 인공지능 서비스입니다. 또한, 실수를 인정하고 잘못된 정보를 바로잡거나 적절하지 않은 요청을 거부할 수도 있습니다. 예를 들어, "'광합성'에 대해 설명해줘.(중학생 수준)"이라고 물어보면, 여러분이 원하는 수준과 분량으로 답을 할 수 있습니다. 챗GPT는 우리와 대화하면서 말하는 방식을 학습하고 그에 맞는 대답을 만들어냅니다. 그래서 사용자가 많아질수록 그 대화를 학습하면서 더 정확한 대답을 할 수 있습니다. 이렇게 챗GPT는 인공지능 분야에서 중요한 역할을 하고 있으며, 앞으로 더욱 많은 분야에서 활용될 것으로 예상합니다. 본문에서는 저자인 하우영 선생님과 함께 여러분의 공부에 도움이 되는 챗GPT의 활용에 대해 배울 예정입니다.

GPT에 대해 조금 더 알아보자

GPT는 사람들이 도움을 주면서 훈련된 인공지능 모델입니다(RLHF**). 처음 이 모델을 훈련시키기 위해, 인공지능 전문가들이 사용자와 인공지능의 두 역할을 동시에 하면서 나눈 대화를 데이터로 제공했습니다(SFT***). 이때 인공지능 전문가들이 대답을 작성하는 데 도움이 되도록, 인공지능이 제안한 답변도 사용했습니다. 모델이 더 자연스럽게 대화할 수 있도록 강화학습을 하는데, 여러 답변 중 어떤 것이 더 좋은지 비교할 데이터가 필요했습니다. 여기서 강화학습은 인공지능이 게임처럼 보상과 벌을 통해 학습하는 방법입니다. 인공지능은 여러 번 시도하면서 어떤 행동이 좋은 결과를 가져오는지 배우게 됩니다. 이를 위해 인공지능 전문가들이 챗봇과 나눈 대화를 사용했고, 여러 가지 답변을 비교해서 순위를 매겼습니다. 이 순위를 바탕으로 모델을 더 개선했고, 이 과정을 여러 번 반복했습니다. 결과적으로, 사람들의 도움을 받아 여러 번 개선되어 더 좋은 대화를 할 수 있는 인공지능이 만들어졌습니다. 챗GPT 관련 키워드는 다음과 같습니다.

- GPT(Generative Pre-trained Transformer)*
  - Generative : 자체적으로 무언가를 새롭게 만들어 내거나 생각해내는 것을 의미합니다. 이는 새로운 정보나 내용을 자동으로 만들어 낼 수 있는 능력을 갖추고 있다는 것입니다. 챗GPT의 경우 사람들이 말하는 것에 대한 문장과 응답을 만들 수 있습니다.
  - Pre-trained : '미리 학습된'이란 의미입니다. 인공지능이 이미 많은 데이터와 정보를 학습해서 지식을 쌓았다는 것을 의미합니다. 그래서 사용자들이 새로운 질문이나 요청할 때, 프로그램은 이미 학습한 지식을 기반으로 도움을 줄 수 있습니다. 마치 우리가 학교에서 배운 것을 기억해서 도움을 주는 것과 비슷합니다.
  - Transformer(트랜스포머) : 구글이 2017년에 처음 발표한 논문에 등장하는 신경망 모델입니다. 특히 텍스트(글자) 데이터를 처리하는 데 탁월한 성능을 보입니다. 트랜스포머는 문장이나 단어 간의 관계를 파악해서 이해하고, 그 정보를 바탕으로 다른 언어로 번역하거나 새로운 문장을 만들 수 있습니다.

- RLHF(Reinforcement Learning from Human Feedback, 인간 피드백 기반 강화학습)**
  인공지능이 사람들의 도움을 받아서 학습하는 방법입니다. 인공지능은 사람들이 준 피드백을 통해 어떤 행동이 좋고 어떤 행동이 나쁜지 배우게 됩니다.
  예를 들어, 인공지능이 글을 쓰는 방법을 배운다고 가정해보겠습니다. 인공지능이 글을 쓰고 사람들은 그 글에 대해 어떻게 생각하는지 알려줍니다. 사람들이 좋게 평가한 글은 높은 점수를 받고, 나쁘게 평가한 글은 낮은 점수를 받게 됩니다. 인공지능은 이런 피드백을 통해 더 글을 잘 쓰는 방법을 배우게 됩니다.

- SFT(Supervised Fine-Tuning step)***
  인공지능은 초기에 아주 많은 책과 인터넷에서 모은 글들을 읽어서 사람들이 무엇을 어떻게 이야기하는지 배웁니다. 그런 다음, 그 지식을 바탕으로 새로운 대화를 만들어 낼 수 있습니다. 하지만 가끔은 이 프로그램이 부정확한 정보나 이상한 대화를 만들기도 하기 때문에 인공지능이 더 자연스럽게 이야기하도록 만들기 위해 'Supervised fine-tuning'이라는 과정을 거칩니다. 이 과정에서는 사람들이 직접 만든 예제 대화들을 인공지능에 보여주면서, 어떻게 대화를 더 잘 할 수 있는지 가르쳐 줍니다.
  예를 들어, 여러분이 버스를 탈 때 어떤 버스를 어디에서 타야 하는지 모른다면 여러 상황에 따라 선생님이나 부모님이 알려주듯이, 인공지능에게도 좋은 대화 예제를 여러 가지 보여주고 가르쳐 주는 것입니다.

2장

챗GPT의 기초적인 사용법 알아보기

1. 챗GPT 가입하기

❶ 챗GPT 사이트(https://chat.openai.com/)에 접속합니다. 여기서
[Sign up] 버튼을 누르면 회원 가입을 할 수 있습니다.

> ※ 이미 회원 계정이 있다면 [Log in] 버튼을 누르고 아이디와 비밀번호를 입력하면 됩니다.

❷ 이메일/구글 계정/마이크로소프트 계정 중 하나로 선택해 회원가입을 할 수 있습니다. 이메일 주소로 가입하겠습니다. 입력창에 이메일을 입력하고 [Continue] 버튼을 누릅니다.

> * 만약 구글이나 마이크로소프트 계정으로 가입하려면 하단의 버튼을 클릭한 후 다음 페이지의 ❻번부터 차례대로 진행하세요.

Create your account

Please note that phone verification is required for signup. Your number will only be used to verify your identity for security purposes.

Email address
❶ haw086@hanmail.net

❷ Continue

Already have an account? Log in

—— OR ——

G Continue with Google

▦ Continue with Microsoft Account

❸ '비밀번호'를 입력하는 화면이 나옵니다.

    ＊ 이메일로 가입하려면 '이메일 주소'와 '8자 이
       상의 비밀번호'가 필요합니다.

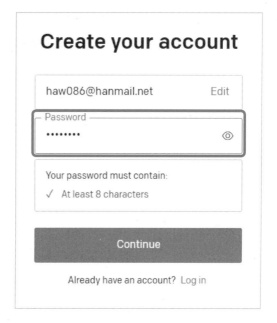

❹ '❸'에서 가입할 때 쓴 이메일 주소로 인
증 메일이 보내집니다.

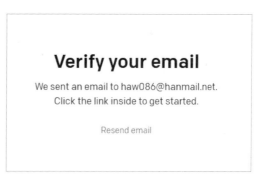

❺ 이메일 편지함으로 들어가면 아래와 같이 확인할 수 있습니다. [Verify emaill address] (이메일 인증) 버튼을 클릭하면 'Email verified(이메일 인증 완료)' 창이 뜨며 인증이 완료됩니다. 이제 [login] 버튼을 누릅니다.

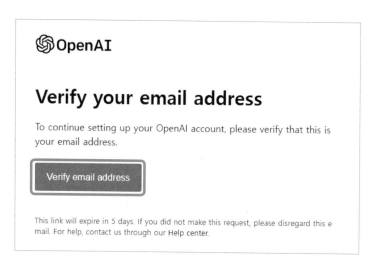

❻ 이름과 생년월일을 입력합니다. 'First name'에 이름을, 'Last name'에 성을 'Birthday'에 생년월일을 8자리로 입력합니다. 예를 들어, 2005년 7월 15일이면 '07/15/2005'로 입력하고 [Continue] 버튼을 클릭합니다.

＊ 달력으로 생년월일을 선택할 수도 있습니다.

❼ 이제 휴대폰 인증을 위해 휴대폰
번호를 입력하고 [Send code] 버
튼을 클릭하면 코드 번호가 휴대
폰으로 전송됩니다.

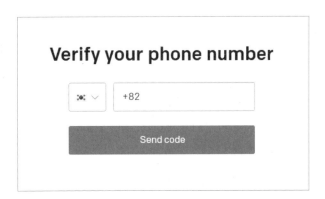

❽ 휴대폰으로 받은 6자리 숫자를
입력합니다.

❾ 아래 화면이 나온다면 회원가입에 성공한 것입니다.

2. 챗GPT 기본화면 설명

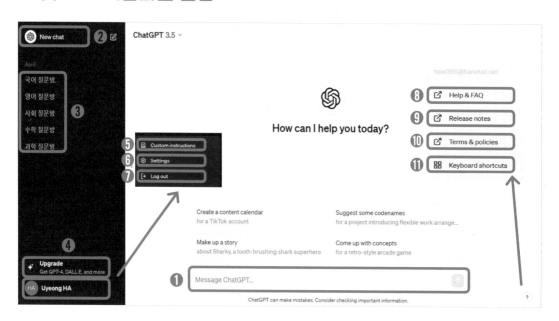

❶ **채팅 입력창** : 여기에서 챗GPT와 대화를 나눌 수 있습니다. 여러분이 궁금한 질문을 이 입력창에 적어서 챗GPT에 말을 걸어 봅시다. 뒤에서 공부에 활용할 수 있는 방법을 자세히 설명하겠습니다.

❷ **[New chat] 버튼** : 챗GPT와 새로운 대화를 시작할 수 있습니다.

❸ **챗GPT 대화 리스트** : 여러분과 챗GPT가 지금까지 나눈 대화 리스트가 나옵니다. 예전에 나눈 대화로 이동이 가능합니다.

  * 대화 리스트를 클릭하면 메뉴에서 대화의 제목을 '수정'하거나 대화를 '삭제'할 수 있습니다.

❹ **Upgrade** : 유료 결제로 챗GPT plus 버전으로 업그레이드할 수 있습니다.

❺ **Custom instructions** : 챗GPT에게 특정 지시(스타일과 형식)를 내릴 수 있습니다. 예를 들면, "이 주제에 대해 긍정적인 의견을 쓰도록 해줘"라고 지시할 수 있습니다. 이런 식으로 챗GPT를 여러분이 원하는 방식으로 조작할 수 있습니다.

❻ **Settings** : 챗GPT와의 채팅 환경을 사용자가 좋아할 방식으로 조정할 수 있도록 도와주는 메뉴입니다.

  * Theme : 어두운 테마, 밝은 테마, 혹은 시스템 설정에 따른 테마 중에서 선택할 수 있습니다.

  * Clear all chats : 여러분과 챗GPT가 나눈 대화 리스트를 모두 삭제해줍니다.

  * Shared links : 챗GPT와 나눈 대화 내용을 친구나 선생님과 공유하기 위해 링크를 만들었을 때, 이 링크들은 'Shared links'에서 볼 수 있고, 필요하다면 이 링크들을 삭제하거나 관리할 수 있습니다.

  * Export data : 챗GPT와 대화하면서 만든 모든 데이터를 컴퓨터나 다른 도구로 내보내 저장해둘 수 있게 해줍니다.

  * Delete account : 여러분의 챗GPT 계정을 완전히 삭제할 수 있게 해줍니다.

❼ **Log out** : 지금 사용하고 있는 계정에서 로그아웃할 수 있습니다.

❽ **Help & FAQ** : 도움말을 확인할 수 있습니다.

❾ **Release notes** : 챗GPT가 새로운 기능을 추가하거나 개선할 때마다, 이를 설명해주는 메모입니다.

❿ **Terms & Policies** : 챗GPT를 사용할 때 지켜야 하는 규칙과, 사용자의 권리와 정보가

어떻게 보호되는지에 대한 내용이 담겨 있습니다. 챗GPT로 무엇을 해야 하고, 무엇을 하면 안 되는지 알 수 있습니다.

⑪ Keyboard shortcuts : 여러분이 '키보드 단축키'를 사용하여 챗GPT를 빠르고 효율적으로 사용할 수 있는 방법을 알려줍니다.

* 이 책은 GPT-3.5(무료 버전) 기준으로 작성되어 무료 버전으로 사용해도 좋습니다. 다만 더 빠르고 좋은 답변을 원한다면 유료 요금제로 변경할 수 있습니다. 홈페이지에서 소개한 무료와 유료 요금제의 차이는 다음과 같습니다.

무료 요금제	ChatGPT plus (월 20달러)
• 수요가 적을 때 사용 가능 • 표준 응답 속도 • 정기적인 모델 업데이트	• 수요가 많은 경우에도 사용 가능 • 더 빠른 응답 속도 • 새로운 기능에 대해 먼저 지원함

ChatGPT plus 버전으로 유료 결재를 하면 창의성과 고급 추론이 필요한 추가 기능을 활용할 수 있습니다. 이렇게 하면 챗GPT의 할루시네이션(hallucination), 즉 잘못된 정보를 만들어내는 현상을 줄여서 정보의 정확도가 올라갑니다. 예를 들어, ChatGPT plus 버전을 사용하면 아래와 같이 GPT-3.5와 GPT-4 모델을 선택할 수 있는 기본 화면이 뜹니다.

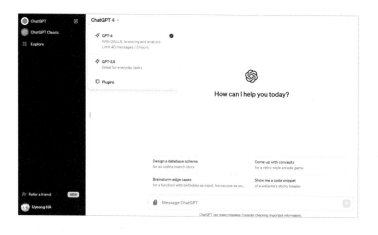

새로운 챗GPT 업그레이드 버전에서는 여러 가지 옵션을 선택할 수 있습니다. 이런 기능들을 이해하기 쉽게 설명하자면, 챗GPT를 마치 '스마트폰'이라고 생각할 수 있습니다. 스마트폰에서 여러 가지 앱(플러그인)을 다운로드하거나, 최신 버전으로 업데이트(ChatGPT 4)하여 더 많은 기능을 사용할 수 있는 것처럼, 챗GPT에서도 다양한 버전과 플러그인을 선택

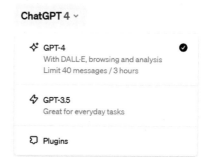

하여 사용할 수 있습니다. 이를 통해 사용자는 자신의 필요에 맞춰 대화를 진행하고, 정보를 얻을 수 있습니다.

1. ChatGPT 4 (With DALL · E, browsing and analysis)

이 옵션은 가장 최신 버전의 챗GPT입니다. 이 버전은 여러 가지 추가 기능을 가지고 있습니다.

- DALL · E : 이미지를 만드는 기능입니다. 여러분의 설명을 바탕으로 그림이나 사진과 같은 이미지를 만들 수 있습니다.

- Browsing : 인터넷 검색 기능입니다. 여러분이 필요로 하는 정보를 인터넷에서 찾아서 제공합니다.

- Analysis : 복잡한 데이터를 분석하거나, 문제를 해결하는 데 도움을 줍니다.

2. ChatGPT 3.5

이 옵션은 이전 버전의 ChatGPT입니다. ChatGPT 4보다는 기능이 제한적이지만, 여전히 대화와 정보 제공에 유용합니다.

3. Plugins(플러그인)

플러그인은 챗GPT에 추가적인 기능을 제공합니다. 예를 들어, 특정한 언어 번역, 수학 문제 해결 등의 특별한 기능을 추가할 수 있습니다. 여러분은 필요에 따라 다양한 플러그인을 선택하여 사용할 수 있습니다.

3장

챗GPT 사용 시 알아둘 점

1. 챗GPT를 사용할 때 유의할 점

챗GPT가 제공하는 정보의 사실 여부를 확인하는 습관을 길러야 합니다. 챗GPT는 가끔 부정확하거나 부자연스러운 대답을 할 수 있습니다. 그러므로 여러분이 챗GPT를 통해 얻은 정보의 정확성을 항상 확인하고 다른 출처와 비교할 수 있어야 합니다. 유해하거나 편향된 정보를 만나면, 즉시 지도 선생님과 학부모님께 도움을 요청하고 챗GPT에 올바른 피드백을 주어야 합니다.

챗GPT로부터 얻은 정보나 의견을 인용할 때는 출처를 밝히고, 본인의 생각과 견해를 명확하게 구분해 주어야 합니다. 더불어 여러분 스스로 독립적으로 사고하고 문제를 해결하는 능력도 계속해서 발전시켜야 합니다. 공부할 때 챗GPT의 도움을 받을 수 있지만, 과도하게 의존하지 않도록 주의해야 합니다. 또한, 챗GPT는 장황하게 이야기하는 경향이 있으므로 중요한 정보를 찾기 위해 답변을 잘 읽어보고 필요한 부분을 활용해야 합니다. 그리고 그 정보들을 다양한 관점과 출처에서 얻은 정보를 종합해서 받아들여야 합니다.

2. 챗GPT와 쉽게 대화하는 꿀팁, BEST 10

여러분이 챗GPT와 효과적으로 대화하려면 몇 가지 팁이 필요합니다. 간단하고 명확한 대화법을 통해 챗GPT와 원활한 소통을 하는 데 도움이 되는 팁을 소개하겠습니다.

Tip 1 ┃ **간단하고 명확한 언어를 사용하세요.**

챗GPT와 대화할 때는 이해하기 쉬운 언어를 사용하는 것이 좋습니다. 복잡하고 애매한 질문보다는 간단하고 명확한 질문이 더 빠르고 정확한 응답을 얻는 데 도움이 됩니다.

> (잘못된 질문 예시) 수학에서 그게 뭐라고 불리는 거죠?
> (올바른 질문 예시) 수학에서 삼각함수의 개념이 무엇인가요?

Tip 2 ┃ **챗GPT에 질문할 내용을 다시 한번 읽어보세요.**

질문을 작성한 후에 한 번 더 읽어보고, 문장이 제대로 완성되었는지 확인하세요. 모호한 표현이나 빠진 단어가 없는지 확인하는 것이 좋습니다.

> (잘못된 질문 예시) 태양계 행성 몇 개?
> (올바른 질문 예시) 태양계에는 총 몇 개의 행성이 있나요?

Tip 3 ┃ **챗GPT에 추가 질문을 해 보세요.**

챗GPT로부터 받은 답변이 충분하지 않다면, 추가 질문을 통해 더 구체적인 정보를 얻을 수 있습니다. 이때 추가적인 예시를 더 요청할 수도 있습니다.

> (기본 질문 예시) 물의 세 가지 상태에 관해 설명해 주세요.
> (추가 질문 예시) 물이 액체에서 기체 상태로 변할 때 어떤 과정을 거치나요?

Tip 4 **구체적으로 질문하세요.**

챗GPT에게 물어볼 때 구체적인 질문을 하면, 더 정확한 답변을 받을 수 있습니다. 예를 들어, "수학 문제 풀이법 알려줘"보다는 "이차방정식 풀이법 알려줘"처럼 구체적인 질문을 하는 것이 좋습니다.

(잘못된 질문 예시) 역사적인 사건에 관해 설명해 주세요.
(올바른 질문 예시) 6 · 25전쟁의 원인과 결과에 관해 설명해 주세요.

Tip 5 **출처에 대한 정보를 요청하세요.**

챗GPT로부터 얻은 정보의 정확성을 확인하고 싶다면, 출처에 대한 정보를 요청할 수 있습니다. 그러나 출처를 알려준다고 해서 모든 정보가 항상 정확하다고 확신하지는 마세요. 제공된 출처를 확인해서 신뢰할 만한 정보인지 체크합니다. 이를 통해 더 믿을 만한 자료를 찾을 수 있습니다.

(질문 예시) 지구 온난화에 대한 주장을 밝힌 과학자들의 연구 논문이나 출처를 알려주세요.

Tip 6 **답변이 이해하기 어렵다면 쉬운 설명을 요청하세요.**

챗GPT가 어떤 개념을 너무 어렵게 설명한다면 "더 쉽게 설명해줄 수 있을까요?"라고 요청할 수 있습니다. 그러면 챗GPT는 그 개념을 더 쉽게 이해할 수 있도록 다른 방법으로 설명하려고 노력할 것입니다.

(질문 예시) 상대성 이론을 좀 더 쉽게 이해할 방법이 있나요?

Tip 7 │ 효과적이고, 자주 쓰는 프롬프트는 저장해두었다가 활용하세요.

프롬프트(prompt)란 챗GPT와의 대화 시 입력하는 질문이나 명령이라고 보면 되는데요. 효과적인 프롬프트를 사용하면, 원하는 정보를 더 쉽게 얻을 수 있습니다. 본문에는 공부에 효과적으로 활용할 수 있는 유용한 프롬프트들이 많이 제시되어 있습니다. 각 과목을 공부할 때는 언제나 이 책을 펴서 프롬프트를 참고해 주세요.

Tip 8 │ 표준어를 사용하세요

줄임말, 비속어, 신조어 등은 챗GPT가 이해하기 어려울 수 있습니다. 줄임말은 풀어서 쓰는 것이 좋습니다.

Tip 9 │ 내용을 함께 제시하면서 질문하세요.

챗GPT와 대화할 때 내용을 기반으로 질문을 하면, 더 효과적인 답변을 얻을 수 있습니다. 질문과 관련된 주제나 내용을 제시한 다음 질문을 구체화하고, 궁금한 부분을 명확히 표현하면 효과적입니다. 교과서 내용 중 이해가 잘 안되거나 어려운 내용을 복사해서 붙여넣을 수 있습니다.

> (질문 예시) 뉴턴의 제2 법칙에 따르면, 힘이 같으면 질량이 큰 물체의 가속도는 작아집니다. 이 내용을 수학적으로 어떻게 증명할 수 있나요?

Tip 10 │ 챗GPT의 저장 및 복사 기능을 활용하세요.

챗GPT와의 대화에서 얻은 정보는 채팅 기록에 하나하나 저장되어 있습니다. 그리고 [복사하기] 버튼을 눌러서 대화 내용을 복사하여 참고 자료로 활용할 수 있습니다. 이를 통해 필요한 내용을 쉽게 기록하고 관리할 수 있습니다.

복사하기

- [복사하기] 버튼 : 채팅 내용을 복사할 때 사용
- [좋아요] 버튼 : 챗GPT의 답변이 만족스러울 때 사용
- [싫어요] 버튼 : 챗GPT의 답변에 오류가 있을 때 사용

이렇게 챗GPT를 더 잘 활용할 수 있는 팁들을 살펴보았습니다. 이러한 팁으로 챗GPT를 효과적으로 활용하고, 학습에 도움이 되길 바랍니다.

3. 챗GPT 팩트 체크를 위한 꿀팁, BEST 5!

여러분은 저와 함께 챗GPT에 대해 공부하면서 챗GPT와 아주 가까이 친해질 것입니다. 그래서 글을 작성하거나 공부할 때, 챗GPT를 통해 정보를 찾아볼 일이 많이 생길 것입니다. 최근 인공지능 기술이 급속하게 발전하면서 챗GPT가 아주 똑똑해졌지만, 챗GPT가 작성한 내용은 무조건 사실 여부를 꼭 체크해야 합니다. 어떻게 사실 여부, 팩트 체크를 할 수 있는지 간단히 설명하겠습니다.

Tip 1   정확한 정보인지 확인하기

챗GPT가 제공하는 정보가 정확한지 확인하는 것이 중요합니다. 이를 확인하려면 웹사이트나 기사, 연구 논문 등의 원본을 찾아봐야 합니다. 이렇게 하면 정보가 어디서 왔는지, 누가 작성했는지 등을 알 수 있어 신뢰성을 판단하는 데 도움이 됩니다.

챗GPT가 "2002년 FIFA 월드컵에서 대한민국은 준결승까지 진출하였습니다."라고 정보를 제공했다면 "이 정보가 정확한지 확인하는 방법을 알려주세요"라고 물어봅니다. 이 방법으로 추천받은 검증 방법을 활용할 수 있습니다. 예를 들어, 축구 기록과 데이터베이스, 공식 월드컵 기록 등을 참고하는 것입니다.

Tip 2   링크 탐색하기

챗GPT가 제공하는 정보 중 일부는 원본 출처의 링크를 포함할 수 있습니다. 링크를 클릭하여 원본 페이지에 접속해보면 원본 출처의 정보를 직접 확인할 수 있습니다.

챗GPT가 "유네스코 세계유산 목록에는 총 1,121개의 유산이 등재되어 있다."라고 말하며, 유네스코 공식 웹사이트의 링크를 제공했다면, 해당 링크를 클릭해 원본 출처를 확인합니다. 링크를 따라 가면 실제 목록과 그 개수를 확인할 수 있습니다. 만약 웹사이트가 존재하지 않거나, 정보에 오류가 있다면 챗GPT에 잘못된 정보라고 피드백을 줄 수 있습니다.

Tip 3 검색엔진 사용하기

챗GPT가 제공하는 정보에 의문이 들 때, 검색엔진을 활용해 같은 주제에 대한 다른 자료를 찾아볼 수 있습니다. 이를 통해 챗GPT가 제공한 내용이 신뢰성 있는지 확인할 수 있습니다. 챗GPT가 "서울의 상징인 63빌딩은 1985년에 완공되었다."고 했을 때, 이 정보가 정확한지 검색엔진을 사용하여 확인할 수 있습니다. "63빌딩 건설 연도"와 같은 키워드로 검색해, 다른 웹사이트나 기사에서 동일한 정보를 확인할 수 있습니다.

Tip 4 교차 검증하기

여러 출처에서 동일한 정보를 찾아보는 것이 좋습니다. 이렇게 하면 정보의 정확성을 높일 수 있습니다. 또한, 정보가 서로 다르다면 어떤 것이 더 정확한지 판단하는 데 도움이 됩니다. 챗GPT가 "태양계에서 가장 큰 달은 목성의 가니메데이다."라고 말했을 때, 여러 출처에서 이 정보를 확인해볼 수 있습니다. 이렇게 여러 출처를 교차 점검하면 정보의 정확성을 높일 수 있습니다.

Tip 5 직접 피드백 전달하기

챗GPT를 사용하다가 정보의 정확성에 의문이 생긴다면, "이 정보는 사실이 아닙니다", "정보의 정확성을 다시 한번 확인해주세요" 등으로 대화창에 입력하거나 [싫어요] 버튼을 통해 직접 피드백을 전달할 수 있습니다. 이렇게 함으로써 여러분의 의견과 피드백을 반영해 챗GPT의 성능을 개선하는 데 기여할 수 있습니다.

예를 들어, 챗GPT가 "초록색 식물들은 광합성을 통해 산소와 포도당을 생성한다."라고 말했을 때, 이 정보에 대한 의문이 생긴다면 해당 정보의 출처와 사실 여부를 확인하고, 필요한 경우 [싫어요] 버튼을 눌러 피드백을 제공할 수 있습니다. 이렇게 하면 챗GPT의 성능 개선에 여러분이 직접 기여할 수 있습니다.

2편

챗GPT와 공부하기
(기초)

4장 공부 계획 세우기

학교에서 중요한 수행평가를 앞두고 있거나, 시험 기간이 다가올 때, 어떻게 공부할지 계획을 세우는 것은 쉽지 않습니다. 달력과 다이어리를 펴두고 계획을 세우기도 하지만 공부량, 중요도, 휴식 시간을 반영하지 않아서 매번 수정해야 하는 번거로움이 있습니다. 챗GPT는 구체적인 정보를 입력하면 여러분의 공부 계획을 세우는 일을 쉽게 도와줄 수 있습니다. 챗GPT와의 대화는 모두 저장되어 있어서, 예상하지 못했던 일이 생겨 수정이 필요하면 언제든 상황에 따라 조건을 다르게 하여 공부 계획을 수정할 수도 있습니다. 챗GPT에 '일정, 공부 시간, 공부 기간, 목표'와 같이 세부적인 정보를 제공하면, 며칠 또는 몇 주간 공부 계획을 금방 세워줄 수 있습니다. 그리고 새로운 취미활동을 하거나, 친구들과 함께 동아리 활동 계획을 세울 때도 도움을 받을 수 있습니다.

1. 간단한 공부 계획 세우기

먼저 간단하게 한 문장으로 공부 계획을 세우는 방법을 소개합니다. '하우쌤의 챗GPT 학습법 프롬프트 공식'에서 빈칸을 여러분의 상황에 맞게 채워넣고 챗GPT에 이야기할 수 있습니다.

하우쌤의
챗GPT 학습법 프롬프트 공식

하루에 ___(하루에 공부할 수 있는 시간)___ 시간씩 ___(공부할 수 있는 날짜 수)___ 일 동안 여유시간이 있습니다. ___(주제)___ 에 대한 집중적인 스터디 계획을 세워주세요.

저자 선생님과 같이 실습해보겠습니다. 앞으로 주제마다 선생님이 '프롬프트 공식'과 함께 '다양한 예시'를 준비해두었습니다. 예시를 보고 그대로 따라할 수도 있고, 여러분이 '하우쌤의 챗GPT 학습법 프롬프트 공식'을 보고 원하는 조건을 수정해서 다양한 답을 얻을 수도 있습니다. 하지만 챗GPT는 수많은 정보와 문장 구조 중에서 최적의 답변을 찾아내려

고 시도하기 때문에, 같은 질문에 대해서도 여러 가지 다른 답변을 만들어 냅니다. 그래서 선생님이 제시하는 '예시'는 참고만 하고, 똑같은 답변이 나오지 않더라도 당황하지 말고, 질문을 수정해가며 챗GPT와 의미 있는 대화를 나눠보세요.

첫 번째 실습 예시는, 위의 프롬프트에 '시간, 공부할 수 있는 날짜 수, 주제'를 넣어보는 것입니다. 아래와 같이 계획을 세워볼까요? 하루에 공부할 수 있는 시간과 날짜 수를 토대로 주제에 대한 집중적인 스터디 계획을 세우면 여러 가지 장점이 있습니다. 공부에 대한 목표를 세울 수 있고, 시간과 날짜 수를 최대한 활용하여 공부에 시간을 투자할 수도 있습니다.

───────────── 예시 ─────────────

다음 프롬프트 공식에 따라 실제로 질문해보고 도움을 받아보겠습니다.

하루에 ___(하루에 공부할 수 있는 시간)___ 시간씩 ___(공부할 수 있는 날짜 수)___ 일 동안 여유시간이 있습니다. ___(주제)___ 에 대한 집중적인 스터디 계획을 세워주세요.

예시 ①

> 하루에 4시간씩 15일 동안 여유시간이 있습니다. 관계대명사에 대한 집중적인 스터디 계획을 세워주세요.

> **ChatGPT**
>
> 하루에 4시간씩 15일 동안 여유시간이 있으므로, 관계대명사에 대한 집중적인 스터디 계획을 세울 수 있습니다.
>
> 다음은 가능한 스터디 계획입니다.
> 1. 관계대명사에 대한 문법적인 개념 학습 (2일)
> 2. 관계대명사의 종류와 활용법 학습 (4일)
> 3. 관계대명사를 사용한 문장 해석 및 작문 연습 (5일)

ChatGPT

4. 관계대명사와 관련된 흔한 실수 및 해결 방법 학습 (2일)
5. 관계대명사를 다루는 실제 예시와 문서를 읽고 이해하는 연습 (2일)

위 스터디 계획은 개인적인 학습 스타일에 따라 조정될 수 있습니다. 일정을 지키면서 꾸준히 스터디를 진행하고 복습하는 것이 중요합니다.

스터디 계획뿐만 아니라 대회를 준비하는 과정에 대한 계획을 세울 수도 있습니다. 대표적인 과학발명대회인 대한민국학생발명전시회를 준비하는 과정을 챗GPT에 질문하니 다음과 같이 정리해주었습니다.

. 예시 ②

 하루에 2시간씩 7일 동안 여유시간이 있습니다. 대한민국학생발명전시회에 제출할 발명 계획서 작성에 대한 집중적인 스터디 계획을 세워주세요. (리스트 형식, 날짜별 계획 표시, 중학생 수준)

 ChatGPT

당신의 집중적인 스터디 계획을 작성해 드리겠습니다. 아래는 하루에 2시간씩 7일 동안의 스터디 계획입니다.

1일 차
- 발명 계획서 작성에 대한 목표 설정
- 대한민국학생발명전시회에 필요한 요구사항과 지침 검토(요강 읽기)

2일 차
- 발명 주제 선정 및 관련 아이디어 도출
- 기존의 비슷한 발명품과의 차별점 분석

3일 차
- 발명 아이디어의 타당성과 실행 가능성 검토
- 필요한 연구 및 실험을 위한 자료 조사

4일 차
- 발명품의 구체적인 설계와 기능 개발에 대한 아이디어 도출

 ChatGPT
　　 – 필요한 재료, 도구, 기술 등의 조달 방법 조사

5일 차
– 발명품의 디자인 및 외관 구상
– 발명품의 장점과 활용 가능성에 대한 분석

6일 차
– 발명품의 프로토타입 제작 계획 수립
– 필요한 소프트웨어 또는 하드웨어 도구 조사

7일 차
– 프로토타입 제작을 위한 자료 및 재료 확보
– 발명품의 시제품 제작에 필요한 단계별 계획서 작성

위에서는 "(중학생 수준)"이라고 질문에 추가했습니다. 이 내용을 추가한 이유는 질문자 수준에서 쉽게 이해할 수 있는 답변을 얻기 위해서입니다. 질문 맨 앞에 "(수준 : 중학생)"을 추가하거나 맨 뒤에 "(중학생 수준)"을 추가할 수도 있습니다.

여러분이 좋아하는 코딩이나 취미로 배우는 것들에 대한 계획도 세울 수 있습니다. 이렇게 계획 세우기를 생활화하면 자기 주도적 학습 습관을 기를 수 있어 여러분에게 큰 도움이 됩니다.

하루에 2시간씩 20일 동안 여유시간이 있습니다. 파이썬 기초학습에 대한 집중적인 스터디 계획을 세워주세요. (중학생 수준)

ChatGPT
안녕하세요! 파이썬 기초학습에 대한 집중적인 스터디 계획을 도와드리겠습니다.

1주 차:
• Day 1: 파이썬 개요 및 설치
　 – 파이썬 언어의 특징과 사용 분야에 대해 알아봅니다.
　 – 파이썬을 설치하고 개발 환경을 구축합니다.

- Day 2: 변수와 데이터 타입
  - 변수의 개념과 활용법을 학습합니다.
  - 정수, 실수, 문자열 등 다양한 데이터 타입을 배웁니다.

- Day 3: 연산자와 표현식
  - 파이썬에서 사용되는 다양한 연산자를 학습합니다.
  - 산술 연산, 비교 연산, 논리 연산 등을 다룹니다.

- Day 4: 조건문
  - 조건문의 개념과 활용법을 배웁니다.
  - if문, else문, elif문을 사용하여 프로그램의 흐름을 제어하는 방법을 익힙니다.

- Day 5: 반복문
  - 반복문의 개념과 종류에 대해 알아봅니다.
  - for문과 while문을 사용하여 반복적인 작업을 수행하는 방법을 학습합니다.

2주 차:
- Day 6: 함수
  - 함수의 개념과 활용법을 배웁니다.
  - 함수의 정의, 호출, 매개변수, 반환값 등을 다룹니다.

- Day 7: 리스트
  - 리스트의 개념과 활용법을 학습합니다.
  - 리스트의 생성, 접근, 추가, 수정, 삭제 등을 다룹니다.

- Day 8: 튜플과 집합
  - 튜플과 집합의 개념과 특징에 대해 알아봅니다.
  - 튜플과 집합의 생성, 접근, 연산 등을 배웁니다.

- Day 9: 딕셔너리
  - 딕셔너리의 개념과 활용법을 학습합니다.
  - 딕셔너리의 생성, 접근, 추가, 수정, 삭제 등을 다룹니다.

- Day 10: 파일 입출력
  - 파일 입출력에 대해 알아보고 파일을 읽고 쓰는 방법을 학습합니다.

ChatGPT

3주 차:
- Day 11: 예외 처리
  - 예외 처리의 개념과 필요성을 이해합니다.
  - try-except문을 사용하여 예외 상황을 처리하는 방법을 배웁니다.
- Day 12: 모듈과 패키지
  - 모듈과 패키지의 개념과 사용법을 학습합니다.
  - 기본 모듈의 활용 및 외부 패키지의 설치와 사용법을 다룹니다.

- Day 13: 문자열 다루기
  - 문자열의 다양한 기능과 메서드를 배웁니다.
  - 문자열의 분리, 결합, 변경, 검색, 형식화 등을 학습합니다.

- Day 14: 정규 표현식
  - 정규 표현식의 개념과 활용법을 학습합니다.
  - 정규 표현식을 사용하여 문자열을 검색하고 처리하는 방법을 익힙니다.

- Day 15: 프로그램의 구조화
  - 함수와 클래스를 활용하여 프로그램을 구조화하는 방법을 학습합니다.
  - 모듈화와 재사용성에 대해 알아봅니다.

4주 차:
- Day 16: 클래스와 객체 지향 프로그래밍
  - 클래스와 객체의 개념을 이해하고 활용법을 학습합니다.
  - 객체 지향 프로그래밍의 특징과 장점에 대해 알아봅니다.

- Day 17: 상속과 다형성
  - 상속과 다형성의 개념과 사용법을 학습합니다.
  - 클래스 간의 상속 관계를 구현하고 다형성을 활용하는 방법을 익힙니다.

- Day 18: 파일과 디렉터리 다루기
  - 파일과 디렉터리를 다루는 기본적인 함수와 모듈을 학습합니다.
  - 파일과 디렉터리의 생성, 삭제, 이동, 복사 등을 다룹니다.

ChatGPT

- Day 19: GUI 프로그래밍 기초
  - GUI(Graphical User Interface) 프로그래밍의 개념과 기초를 학습합니다.
  - Tkinter 모듈을 사용하여 간단한 GUI 프로그램을 작성해봅니다.

- Day 20: 프로젝트 실습
  - 학습한 내용을 활용하여 간단한 프로젝트를 수행합니다.
  - 예를 들어, 간단한 게임을 만들어볼 수 있습니다.

2. 좋아하는 학습 양식을 추가해서 계획 세우기

이번에는 챗GPT에 좋아하는 학습 양식을 추가해서 전달해보겠습니다. 여러분은 학습 취향에 따라 유튜브 영상으로 이론을 공부하거나 친구들과의 모둠 학습 등을 더 좋아할 수 있습니다. 이런 정보가 챗GPT에게는 중요한 정보가 됩니다. 아래의 프롬프트 공식에 좋아하는 학습 양식을 넣고 챗GPT에 전달해봅니다.

하우쌤의
챗GPT 학습법 프롬프트 공식

하루에 ＿＿＿ (하루에 공부할 수 있는 시간) ＿＿＿ 시간씩 ＿＿＿ (공부할 수 있는 날짜 수) ＿＿＿ 일 동안 여유시간이 있습니다.
＿＿＿ (주제) ＿＿＿ 에 대한 집중적인 스터디 계획을 세워주세요.

＿＿＿ (좋아하는 학습 양식) ＿＿＿

예시) 유튜브 영상을 통해 학습하는 것을 더 좋아합니다.
책을 읽으면서 학습하는 것을 더 좋아합니다.
직접 몸으로 체험하면서 학습하는 것을 더 좋아합니다.
선생님의 강의식 수업을 더 좋아합니다.
친구들과 함께하는 모둠학습을 더 좋아합니다.

앞서 작성했던 프롬프트에 '좋아하는 학습 양식'을 추가해서 실습해보겠습니다. 사람마다 선호하는 학습방식이 다르므로 이런 조건들을 구체적으로 추가하면 챗GPT가 그것에 맞게 계획을 수정해 줍니다. 여러분의 스트레스가 줄어들고, 공부에 더 몰입할 수 있도록 도움을 줍니다. 아래에 다양한 학습 양식을 프롬프트에 적용한 예를 준비해두었습니다. 여러분의 학습 양식도 구체적으로 적어서 챗GPT에 질문해보세요.

─────────────── 예시 ───────────────

다음 프롬프트 공식에 따라 실제로 질문해보고 도움을 받아보겠습니다.

하루에 ___(하루에 공부할 수 있는 시간)___ 시간씩 ___(공부할 수 있는 날짜 수)___ 일 동안 여유시간이 있습니다. ___(주제)___ 에 대한 집중적인 스터디 계획을 세워주세요. ___(좋아하는 학습 양식)___

예시 ①

🧑 하루에 1시간씩 14일 동안 여유시간이 있습니다. 배구 토스 연습에 대한 집중적인 스터디 계획을 세워주세요. 저는 유튜브 영상을 통해 학습하는 것을 더 좋아합니다.

🌸 안녕하세요! 배구 토스 연습에 대한 집중적인 스터디 계획을 제시해드리겠습니다. 유튜브 영상
ChatGPT 을 통한 학습을 좋아하시기 때문에, 가능한 한 많은 유튜브 영상을 활용한 계획을 제시해드리겠습니다.

1주 차:
- 1일 차: 토스의 기본 원리 (1시간, 유튜브 영상 시청)
- 2일 차: 토스의 동작 분석 및 기초 연습 (1시간, 실제 훈련)
- 3일 차: 다른 위치에서의 토스 (1시간, 유튜브 영상 시청)
- 4일 차: 짝꿍 연습 (1시간, 유튜브 영상 시청)
- 5일 차: 첫 주차 리뷰 및 계획 수정 (1시간, 유튜브 영상 시청)

2주 차:

ChatGPT
- 6일 차: 서브와 토스 연계 연습 (1시간, 유튜브 영상 시청)
- 7일 차: 서브 리시브 (1시간, 유튜브 영상 시청)
- 8일 차: 서브 리시브의 동작 분석 및 기초 연습 (1시간, 유튜브 영상 시청)
- 9일 차: 첫 번째 서브 리시브와 세트 연습 (1시간, 유튜브 영상 시청)
- 10일 차: 두 번째 서브 리시브와 세트 연습 (1시간, 유튜브 영상 시청)
- 11일 차: 서브 리시브와 세트 연습 (1시간, 실제 훈련)
- 12일 차: 두 주차 리뷰 및 계획 수정 (1시간, 유튜브 영상 시청)

3주 차:
- 13일 차: 서브 리시브와 세트업을 활용한 공격 연습 (1시간, 유튜브 영상 시청)
- 14일 차: 공격 연습 (1시간, 실제 훈련)

이렇게 14일간의 집중적인 스터디 계획을 제시해드렸습니다. 시간이 한정적이기 때문에 해당 주 차마다 유튜브 영상과 실제 훈련을 균형 있게 조합하여 진행하였습니다. 해당 계획을 실천하면서, 배구 토스 연습에 대한 이해도와 실력 향상을 기대해 볼 수 있습니다.

예시 ②

 하루에 1시간씩 5일 동안 여유시간이 있습니다. 영어 듣기 평가에 대한 집중적인 스터디 계획을 세워 주세요. 저는 책을 읽으면서 학습하는 것을 더 좋아합니다.

 안녕하세요! 영어 듣기 평가를 위한 집중적인 스터디 계획을 세우는 것은 좋은 생각입니다. 아

ChatGPT 래는 하루에 1시간씩 5일 동안의 스터디 계획입니다.
일주일에 총 5시간을 할애하므로, 이 시간 동안 영어 듣기 능력을 향상하기 위해 다음과 같은 방법들을 추천합니다.

1일 차: 청취 연습
- 책을 이용하여 영어 청취 연습을 해보세요. 짧은 대화나 뉴스 기사, 영화나 드라마의 대화 등을 선택할 수 있습니다. 청취 과정에서 이해하지 못하는 단어나 표현을 찾아보고, 이들을 정리해보세요. 이후에 이를 활용하여 복습해보세요.

ChatGPT

－이후, 이해하기 쉬운 단계부터 시작하여 영어 청취 능력을 향상시키기 위한 말하기 놀이를 해보세요. 이를 통해 기본적인 발음, 억양, 강세 등을 연습하고, 단어나 문장에 대한 이해도를 높일 수 있습니다.

2일 차: 강의 듣기
－TED 영어 강의나 유튜브 등에서 좋아하는 주제의 영어 강의를 찾아 들어보세요. 이를 통해 듣기 능력을 향상시키는 동시에 영어 단어나 문장, 문법 등을 익힐 수 있습니다.
－강의 내용을 듣고나서는, 이를 요약하는 연습을 해보세요. 이는 짧은 문장으로 시작하며, 이후 더욱 복잡한 문장으로 진행해나가는 것이 좋습니다.

3일 차: 드라마나 영화 보기
－드라마나 영화를 이용하여 영어 청취 능력을 향상할 수 있습니다. 특히, 드라마나 영화를 시청하면서 스크립트를 함께 보는 것이 좋습니다. 이를 통해 영어 발음, 억양, 강세 등을 익히고, 대화에서 사용되는 단어나 표현을 알아낼 수 있습니다.

4일 차: 뉴스 듣기
－BBC, CNN 등의 뉴스 채널에서 영어 뉴스를 들어보세요. 이를 통해 새로운 표현이나 용어를 알아내는 것은 물론이고, 영어 발음, 억양, 강세 등을 연습할 수 있습니다.
－이후, 들은 내용을 요약하고, 이에 대한 의견을 나누는 연습을 해보세요. 이를 통해 듣기와 동시에 말하기 능력도 향상할 수 있습니다.

5일 차: 복습 및 피드백
－이전에 들은 강의나 대화, 뉴스 등을 다시 들어보고, 그동안 학습한 내용을 복습해보세요. 이를 통해 더 깊은 이해와 학습 효과를 높일 수 있습니다.
－끝으로, 학습한 내용을 다시 한번 돌아보며, 개선해야 할 부분을 찾아보세요. 이를 통해 더욱 성장할 수 있습니다.

예시 ③

 하루에 2시간씩 2일 동안 여유시간이 있습니다. 최대공약수와 최소공배수에 대한 집중적인 스터디 계획을 세워주세요. 저는 선생님의 강의식 수업을 더 좋아합니다. (리스트 형식, 날짜별 계획 표시, 중학생 수준)

ChatGPT

최대공약수와 최소공배수에 대한 스터디 계획을 세워 드리겠습니다. 아래는 중학생 수준의 최대공약수와 최소공배수에 대한 강의식 스터디 계획표입니다. 각 날짜와 해당하는 내용을 명시했습니다.

Day 1:
– 강의 내용: 소인수분해와 최대공약수
– 소인수분해의 개념 소개
– 소인수분해를 사용하여 주어진 수의 소인수분해 구하기
– 최대공약수의 개념 소개
– 최대공약수 계산 방법 소개 (소인수분해를 이용한 방법 등)
– 예시 문제 풀이

Day 2:
– 강의 내용: 최소공배수와 응용문제
– 최소공배수의 개념 소개
– 최소공배수 계산 방법 소개
– 최대공약수와 최소공배수의 관계 설명
– 예시 문제 풀이
– 최대공약수와 최소공배수를 활용한 응용문제 풀이

3. 더 자세히 공부 계획 세우기 (시험 공부 계획)

챗GPT는 여러분이 정확하고 구체적인 정보를 제공할수록 더 적합한 공부 계획을 세울 수 있습니다. 그래서 시험 기간 계획을 구체적으로 세우는 방법을 정리해보았습니다. 공부하고자 하는 과목과 주제를 구체적으로 설명하고, 일일, 주간 또는 월간 계획을 세울 수 있

습니다. 또한, 대화를 나누며, 특정 과목이나 주제에 더 많은 시간을 배분할 수도 있고, 식사 시간과 운동 시간 같이 여유 활동을 넣을 수도 있습니다.

하우쌤의
챗GPT 학습법 프롬프트 공식

- 오늘 날짜는 _____(오늘의 날짜)_____ 년 ___월 ___일 ___요일이고, 시험 시작 날짜는 ___(시험 시작 날짜)___ 년 ___월 ___일 ___요일입니다. 공부해야 하는 과목은 ___(공부해야 하는 과목 이름)___ 입니다. _____(공부 계획을 세울 때 추가할 조건)_____. 이 정보들을 바탕으로 오늘부터 ___(시험 공부 마감 날짜)___ 년 ___월 ___일까지의 일일 단위의 공부 계획을 세워주세요. (리스트 형식으로)
[공부 계획을 세울 때 추가할 조건 예시] 저는 월요일부터 금요일까지는 한 과목만 ___시간, 토요일과 일요일에는 두 과목을 총 ___시간 공부할 수 있는 시간이 있습니다. 저는 ___ 과목 공부에 다른 과목보다 더 많은 시간을 활용하도록 하겠습니다. 시험 이틀 전인 ___ 일에는 모든 과목을 복습하도록 합니다.
- 시험 공부를 하기 위한 주말(토요일, 일요일) 공부 시간 계획표를 만들어주세요.(표 형식) 공부해야 하는 과목은 ___(공부해야 하는 과목 이름)___ 입니다. _____(공부 계획을 세울 때 추가할 조건)_____.
[공부 계획을 세울 때 추가할 조건 예시] 공부는 ___ 단위로 계속할 수 있습니다. 점심 식사 시간과 저녁식사 시간은 ___시간입니다. 쉬는 시간은 ___분입니다.

이번엔 아주 구체적인 공부 계획입니다. 아래에 한 예시가 있습니다. 여러분이 '학원 일정', '더 집중해야 하는 과목', '시험기간에 따른 공부 스타일' 등을 직접 추가해서 '공부 계획'을 세울 수 있습니다. 특히 챗GPT는 한 번의 대화로 마무리되지 않고, 여러분과 함께 끊임없이 이전의 질문과 관계된 질문이나 의견을 나눌 수 있습니다. 지금 바로 챗GPT와 함께 공부 계획을 세워보세요. 이렇게 하면 여러분만의 공부 계획을 세울 수 있고, 진도나 상황의 변화에 따라 쉽게 수정하고 변경할 수 있습니다.

예시

다음 프롬프트 공식에 따라 실제로 질문해보고 도움을 받아보겠습니다.

오늘 날짜는 ___(오늘의 날짜)___ 년 __월 __일 __요일이고, 시험 시작 날짜는 ___(시험 시작 날짜)___ 년 __월 __일 __요일입니다. 공부해야 하는 과목은 ___(공부해야 하는 과목 이름)___ 입니다. _____(공부 계획을 세울 때 추가할 조건)_____. 이 정보들을 바탕으로 오늘부터 ___시험 공부 마감 날짜)___ 년 __월 __일까지의 일일 단위의 공부 계획을 세워주세요. (리스트 형식으로)
[공부 계획을 세울 때 추가할 조건 예시] 저는 월요일부터 금요일까지는 한 과목만 ___시간, 토요일과 일요일에는 두 과목을 총 ___시간 공부할 수 있는 시간이 있습니다. 저는 __ 과목 공부에 다른 과목보다 더 많은 시간을 활용하도록 하겠습니다. 시험 이틀 전인 __ 일에는 모든 과목을 복습하도록 합니다.

 오늘 날짜는 2023년 4월 24일 월요일이고, 시험 시작 날짜는 2023년 5월 15일입니다. 공부해야 하는 과목은 국어, 수학, 과학, 사회, 영어입니다. 저는 월요일부터 금요일까지는 한 과목만 3시간, 토요일과 일요일에는 두 과목을 총 6시간 공부할 수 있는 시간이 있습니다. 저는 수학과 과학 과목 공부에 다른 과목보다 더 많은 시간을 활용하도록 하겠습니다. 시험 이틀 전인 2023년 5월 13일과 5월 14일에는 모든 과목을 복습하도록 합니다. 이 정보들을 바탕으로 오늘부터 2023년 5월 14일까지의 일일 단위의 공부 계획을 세워주세요. (리스트 형식으로)

ChatGPT

2023년 4월 24일부터 2023년 5월 14일까지의 일일 공부 계획은 다음과 같습니다:

- 2023년 4월 24일 (월요일): 국어 (3시간)
- 2023년 4월 25일 (화요일): 수학 (3시간)
- 2023년 4월 26일 (수요일): 과학 (3시간)
- 2023년 4월 27일 (목요일): 사회 (3시간)
- 2023년 4월 28일 (금요일): 영어 (3시간)
- 2023년 4월 29일 (토요일): 수학 (3시간), 과학 (3시간)
- 2023년 4월 30일 (일요일): 국어 (3시간), 사회 (3시간)
- 2023년 5월 1일 (월요일): 영어 (3시간)
- 2023년 5월 2일 (화요일): 수학 (3시간)
- 2023년 5월 3일 (수요일): 과학 (3시간)
- 2023년 5월 4일 (목요일): 사회 (3시간)
- 2023년 5월 5일 (금요일): 국어 (3시간)

ChatGPT

- 2023년 5월 6일 (토요일): 수학 (3시간), 과학 (3시간)
- 2023년 5월 7일 (일요일): 영어 (3시간), 사회 (3시간)
- 2023년 5월 8일 (월요일): 수학 (3시간)
- 2023년 5월 9일 (화요일): 과학 (3시간)
- 2023년 5월 10일 (수요일): 국어 (3시간)
- 2023년 5월 11일 (목요일): 사회 (3시간)
- 2023년 5월 12일 (금요일): 영어 (3시간)
- 2023년 5월 13일 (토요일): 복습 (모든 과목, 6시간)
- 2023년 5월 14일 (일요일): 복습 (모든 과목, 6시간)

── 예시 ──

다음 프롬프트 공식에 따라 실제로 질문해보고 도움을 받아보겠습니다.

시험 공부를 하기 위한 주말(토요일, 일요일) 공부 시간 계획표를 만들어주세요.(표 형식) 공부해야 하는 과목은 ____(공부해야 하는 과목 이름)____ 입니다. _____(공부 계획을 세울 때 추가할 조건)_____.
[공부 계획을 세울 때 추가할 조건 예시] 공부는 ____ 단위로 계속할 수 있습니다. 점심 식사 시간과 저녁식사 시간은 ____시간입니다. 쉬는 시간은 ____분입니다.

시험 공부를 하기 위한 주말(토요일, 일요일) 공부 시간 계획표를 만들어주세요. (표 형식) 공부해야 하는 과목은 국어, 수학, 과학, 영어입니다. 공부는 1시간 30분 단위로 계속할 수 있습니다. 점심 식사 시간과 저녁식사 시간은 1시간입니다. 쉬는 시간은 15분입니다.

ChatGPT
아래는 주말(토요일, 일요일)을 활용한 시험 공부 시간 계획표입니다. 1시간 30분 단위로 공부하며, 점심 식사와 저녁식사는 1시간으로 예상하고, 쉬는 시간은 15분으로 설정하였습니다.

평일 시간 계획표:

시간	토요일	일요일
09:00 – 10:30	국어	과학
10:30 – 10:45	쉬는 시간	쉬는 시간

시간	토요일	일요일
10:45 – 12:15	수학	영어
12:15 – 13:15	점심 식사	점심 식사
13:15 – 14:45	수학	국어
14:45 – 15:00	쉬는 시간	쉬는 시간
15:00 – 16:30	과학	영어
16:30 – 16:45	쉬는 시간	쉬는 시간
16:45 – 18:15	국어	수학
18:15 – 19:15	저녁 식사	저녁 식사
19:15 – 20:45	영어	과학
20:45 – 21:00	쉬는 시간	쉬는 시간
21:00 – 22:30	수학	국어

5장

문제 만들기

시험기간에 교과서를 공부하거나, 과목별로 배운 것을 복습할 때 여러분들은 주로 문제집을 이용합니다. 이렇게 문제를 풀면서 공부한 내용을 정리하고 문제를 풀며 복습하고 활용하는 힘을 기릅니다. 챗GPT는 수많은 문장 구조, 문법 및 어휘를 학습하고, 이런 데이터를 바탕으로 다양한 문제를 만들 수 있습니다. 텍스트 생성 능력을 바탕으로 챗GPT는 여러분이 원하는 내용에서 핵심 내용을 뽑아서 문제로 만들어 줍니다. 챗GPT를 활용하여 문제를 풀면, 마치 게임을 하듯 대화식 퀴즈를 풀면서 공부한 내용을 평가받을 수 있습니다. 특히 챗GPT는 문제의 정답과 함께 풀이 과정이나 해석도 제공해서 여러분에게 큰 도움을 줄 수 있습니다.

1. 주제에 대한 설명도 듣고 문제도 만들기

먼저, 학교의 수업시간에 배운 내용을 복습하고 문제를 풀 수 있습니다. 아래 프롬프트 공식에서 '주제'와 '수준'을 넣고 입력만 하면 됩니다. 챗GPT는 여러분이 문제로 풀 내용에 대해 간단히 복습할 수 있게 설명해주고, 문제도 만들어 줍니다. 더 많은 문제를 풀 수 있도록 요청하거나, 개념에 대한 추가 설명을 요청할 수도 있습니다.

하우쌤의
챗GPT 학습법 프롬프트 공식

___(주제)___ 에 대해 가르쳐주세요. 그리고 마지막에 문제를 내주세요. 한 답변마다 문제를 하나씩 내고 답을 알려주지 마세요. 제가 대답한 후에 맞았는지 틀렸는지 말씀해주세요. 문제는 ___(수준)___ 에 맞게 만들어주세요.

간단한 2가지 실습을 해보겠습니다. 챗GPT에 '마찰력, 관계대명사'에 대해서 설명을 요청하고 문제도 수준에 맞게 출제해달라고 요청해보세요. 챗GPT는 다양한 주제에 대한 정보를 가지고 있어서 여러분들이 여러 주제에 대해 공부하고, 배운 것을 확인할 수 있습니다.

예시

다음 프롬프트 공식에 따라 실제로 질문해보고 도움을 받아보겠습니다.

___(주제)___ 에 대해 가르쳐주세요. 그리고 마지막에 문제를 내주세요. 한 답변마다 문제를 하나씩 내고 답을 알려주지 마세요. 제가 대답한 후에 맞았는지 틀렸는지 말씀해주세요. 문제는 ___(수준)___ 에 맞게 만들어주세요.

예시 ①

마찰력에 대해 가르쳐주세요. 그리고 마지막에 문제를 내주세요. 문제는 당신의 대화 하나당 한 문제만 출제해주세요. 답을 알려주지 마세요. 제가 대답한 후에 맞았는지 틀렸는지 말씀해주세요. 문제는 중학교 수준에 맞게 만들어주세요.

ChatGPT
마찰력은 두 물체가 서로 닿아있을 때 생기는 저항의 힘입니다. 이는 분자 간 상호작용에 기인합니다. 마찰력은 두 가지 유형이 있습니다. 정지 마찰력은 물체가 정지 상태에서 서로 저항하는 힘이며, 운동 마찰력은 물체가 이동하는 동안 서로 저항하는 힘입니다.

마찰력의 크기는 두 물체의 재질과 표면 상태, 그리고 물체가 서로에게 작용하는 힘의 크기에 영향을 받습니다. 마찰력은 일반적으로 물체가 이동하거나 멈출 때 필요한 에너지를 의미하며, 우리 생활에서는 자동차나 자전거를 탈 때 마찰력을 경험합니다.

문제: 마찰력의 크기는 어떤 요소들에 영향을 받나요?

두 물체 사이의 거칠기

ChatGPT
네, 맞습니다! 두 물체 사이의 거칠기가 높을수록 마찰력이 강해집니다. 표면이 부드럽거나 매끄러운 물체끼리는 마찰력이 약하고, 거친 표면끼리는 마찰력이 강해집니다. 이는 분자 간 상호작용 때문에 발생합니다.

다른 문제도 만들어주세요.

ChatGPT 두 물체의 질량과 마찰계수는 마찰력의 크기에 어떤 영향을 미치나요?

질량과 마찰계수가 커지면 마찰력이 커집니다.

ChatGPT 맞습니다! 질량과 마찰계수가 모두 증가하면, 마찰력도 커지게 됩니다. 질량이 증가하면 물체가 움직이는 데 필요한 힘도 증가하므로, 마찰력도 커집니다. 마찰계수가 증가하면 물체 간 상호작용이 더 강해지므로 마찰력도 증가하게 됩니다. 따라서 두 물체 간 마찰력은 두 물체의 질량과 마찰계수에 의존합니다.

예시 ②

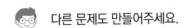

관계대명사 which에 대해 가르쳐주세요. 그리고 마지막에 문제를 내주세요. 문제는 당신의 대화 하나당 한 문제만 출제해주세요. 답을 알려주지 마세요. 제가 대답한 후에 맞았는지 틀렸는지 말씀해주세요. 문제는 중학교 수준에 맞게 만들어주세요.

ChatGPT 관계대명사 which는 선행사의 내용을 보충하는 역할을 합니다. 보통 쉼표 뒤에 옵니다. 예를 들어, 'I have a dog, which is very cute.'라는 문장에서 which는 앞 문장의 선행사인 "dog"를 보충하여 이 개가 매우 귀엽다는 정보를 더해줍니다.

문제: 다음 빈칸에 들어갈 알맞은 관계대명사를 선택해주세요.

The book, _____ I borrowed from the library, was very interesting.

a. who
b. whom
c. which
d. where

 C

ChatGPT 정답입니다! "The book, which I borrowed from the library, was very interesting."에서 which 는 앞 문장의 선행사인 "book"을 보충하여 그 책이 매우 흥미로웠다는 정보를 더해줍니다.

2. 조건을 추가해서 OX 퀴즈와 객관식 문제 만들기

이번에는 특정 주제에 대한 문제가 아니라, 여러분이 공부하고 있는 내용을 직접 입력하고 그것에 대한 문제를 만들게 해보겠습니다. 또한 챗GPT는 OX 퀴즈, 객관식 문제를 낼 수 있습니다. 여러분이 배우고 있는 내용을 직접 입력하고, 챗GPT에게 그 내용에 대한 여러 유형의 문제를 만들게 해봅시다.

하우쌤의
챗GPT 학습법 프롬프트 공식

• _____ (교과서 내용 또는 문제로 공부할 내용)
위의 내용에 대해 OX문제를 내주세요. 당신의 대화 하나당 한 문제만 출제해주세요. 답을 알려주지 마세요. 제가 대답한 후에 맞는지 틀렸는지 말씀해주세요. 문제는 __(수준)__ 에 맞게 만들어주세요.

• _____ (교과서 내용 또는 문제로 공부할 내용)
위의 내용에 대해 여러 개의 선택지 중에서 하나를 고르는 문제를 내주세요. 당신의 대화 하나당 한 문제만 출제해주세요. 답을 알려주지 마세요. 제가 대답한 후에 맞는지 틀렸는지 말씀해주세요. 문제는 __(수준)__ 에 맞게 만들어주세요.

교과서의 내용을 직접 입력해서 실습해보겠습니다. 여러분이 시험공부를 하거나, 복습자료를 만들 때 아주 유용합니다. 챗GPT가 간혹 답을 미리 알려주거나 한 번에 여러 문제를 출제해주기도 합니다. 이때는 프롬프트를 잘 수정해서 챗GPT의 답변을 아래와 같이 유도해보세요.

다음 프롬프트 공식에 따라 실제로 질문해보고 도움을 받아보겠습니다.

 (교과서 내용 또는 문제로 공부할 내용)

위의 내용에 대해 OX문제를 내주세요. 당신의 대화 하나당 한 문제만 출제해주세요. 답을 알려주지 마세요. 제가 대답한 후에 맞았는지 틀렸는지 말씀해주세요. 문제는 ___(수준)___ 에 맞게 만들어주세요.

지구상에서 유명한 산 중 해발 고도가 가장 높은 산은 에베레스트산으로, 몽블랑산, 킬리만자로산, 코토팍시산 등이 있습니다. 산들은 지층이 습곡 작용을 받거나 땅속의 마그마 분출로 인해 생성됩니다. 이러한 산들은 강이나 빙하, 비와 바람으로 인해 높이나 모양이 변화할 수 있습니다. 습곡 작용으로 형성된 산들은 생성 시기에 따라 높이와 모양이 다릅니다. 알프스, 히말라야, 안데스, 로키산맥 등은 신기 습곡 산지로, 활동성이 높아 지진이나 화산 활동이 일어나기도 합니다. 그에 반해 애팔래치아, 우랄산맥 등은 오랜 시간 동안 풍화와 침식을 받아 고도가 비교적 낮고 경사가 완만합니다. 에콰도르의 코토팍시산은 분화 활동을 하는 화산 중에서 가장 높은 해발 고도를 가지며, 하와이 제도나 산토리니섬은 해저에서 화산이 폭발하여 형성된 산입니다.

위의 내용에 대해 OX 문제를 내주세요. 당신의 대화 하나당 한 문제만 출제해주세요. 답을 알려주지 마세요. 제가 대답한 후에 맞았는지 틀렸는지 말씀해주세요. 문제는 중학교 수준에 맞게 만들어주세요.

ChatGPT
산은 지층이 습곡 작용을 받거나 땅속의 마그마 분출로 인해 생성된다. (O/X)

X

ChatGPT
정답은 O입니다.

제가 틀린 이유를 설명해주세요.

ChatGPT
제시된 내용에는 '산들은 지층이 습곡 작용을 받거나 땅속의 마그마 분출로 인해 생성됩니다' 라고 언급되어 있기 때문에 이 문장이 옳습니다. 산이 생길 때는 이러한 지평선 아래의 움직임으로 인해 크고 작은 지진이 발생하며, 이는 산의 형성에 중요한 역할을 합니다.

다른 문제도 출제해주세요.

ChatGPT 알프스, 히말라야, 안데스, 로키산맥은 신기 습곡 산지로, 활동성이 높아 지진이나 화산 활동이 일어납니다. (O/X)

ChatGPT가 만든 문제를 풀지 못한다면, 관련된 쉬운 설명이나 힌트를 요청할 수도 있습니다. ChatGPT는 친절한 선생님이 바로 곁에 있는 것처럼 바로바로 문제도 만들어주고 피드백을 줄 수 있습니다. ChatGPT는 더 공부하고 싶은 자료를 만들어주기도 합니다. 중학교 교과서의 내용을 직접 입력해서 실습해보겠습니다.

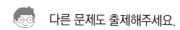

다음 프롬프트 공식에 따라 실제로 질문해보고 도움을 받아보겠습니다.

_____(교과서 내용 또는 문제로 공부할 내용)_____
위의 내용에 대해 여러 개의 선택지 중에서 하나를 고르는 문제를 내주세요. 당신의 대화 하나당 한 문제만 출제해주세요. 답을 알려주지 마세요. 제가 대답한 후에 맞았는지 틀렸는지 말씀해주세요. 문제는 ___(수준)___ 에 맞게 만들어주세요.

옴의 법칙은 전기 회로에서 전류와 저항, 전압 사이의 관계를 나타내는 법칙입니다. 이 법칙은 전류(I)가 저항(R)에 비례하고 전압(V)에 반비례한다는 것을 나타내며, 수식으로는 $I = V/R$로 나타낼 수 있습니다.

위의 내용에 대해 여러 개의 선택지 중에서 하나를 고르는 문제를 내주세요. 당신의 대화 하나당 한 문제만 출제해주세요. 답을 알려주지 마세요. 제가 대답한 후에 맞았는지 틀렸는지 말씀해주세요. 문제는 중학교 수준에 맞게 만들어주세요.

ChatGPT 문제: 저항이 일정하게 유지되는 전기 회로에서 전류를 증가시키려면 어떻게 전압을 조절해야 할까요?
1. 전압을 증가시킨다.
2. 전압을 감소시킨다.
3. 저항을 증가시킨다.
4. 저항을 감소시킨다.

 1번

ChatGPT
정답입니다. 전압을 증가시키면 전류도 증가합니다. 이는 옴의 법칙에 따라 전류(I)가 전압(V)에 비례하기 때문입니다.

이 부분에 더 공부해 보고 싶습니다. 중학교 수준에서 더 공부할 수 있는 자료를 만들어주세요.

ChatGPT
전압과 전류, 그리고 저항에 대해 더 자세히 이해하기 위해 중학교 수준에서 다룰 수 있는 간단한 예시와 설명을 제공하겠습니다.

전구가 있는 회로를 생각해보겠습니다.
전기 회로에는 전지, 저항(전구), 전선 등이 포함됩니다. 전지는 전압(V)을 제공하며, 저항은 전류(I)의 흐름을 제어하는 역할을 합니다.
전압원이 일정한 전압을 제공하는 경우, 저항의 값이 일정하다면 옴의 법칙에 따라 전류가 결정됩니다. 즉, I = V/R로 나타낼 수 있습니다. 이 수식에서 전압(V)를 고정하고 저항(R)을 증가시키면 전류(I)는 감소하게 됩니다. 이는 전압과 전류의 반비례 관계를 보여줍니다.

따라서 회로에서 전류를 증가시키기 위해서는 전압(V)을 증가시켜야 합니다. 전압을 증가시키면 저항이 일정하다면 전류도 증가하게 됩니다.
반대로, 전압을 감소시키면 전류도 감소합니다. 따라서 전구 회로에서 전류를 감소시키려면 전압을 감소시키면 됩니다.

이런 식으로 전압, 전류, 저항의 관계를 이해하면 전기 회로에서 다양한 상황에서 어떻게 전압이 조절되고 전류가 변화하는지 이해할 수 있습니다.

3. 출제자 역할을 주고 문제 만들기

앞에서 설명한 두 가지 유형으로 프롬프트를 사용해도 여러분의 공부에 필요한 문제를 쉽게 만들어 낼 수 있습니다. 챗GPT를 통해 문제를 쉽게 만들 수 있는 재미있는 비밀 프롬프트를 하나 더 소개합니다. 챗GPT는 사람처럼 행동할 수 있어서, '역할을 하기를 바랍니다'라고 입력하면 챗GPT가 여러분이 원하는 행동을 하도록 지정할 수 있습니다. 다음 프롬프트를 입력하면 챗GPT는 어떤 주제라도 상관없이 여러분의 친절한 학습 친구인 문제 출제자 챗GPT로 변신합니다.

하우쌤의
챗GPT 학습법 프롬프트 공식

- 저는 당신이 ___(주제)___ 에 대한 객관식 문제를 만드는 출제자 역할을 하기를 바랍니다. 5가지 답안 중 하나가 정답이고 나머지 4개가 오답인 객관식 문제를 만들어주세요. 각 답안에는 A에서 E까지의 번호가 붙어있어야 합니다. 문제는 당신의 대화 하나당 한 문제만 출제해주세요. 정답과 답안에 대한 설명은 제가 답을 한 후에 알려주세요. 시작하려면 문제를 보여주세요.
- _____(교과서 내용 또는 문제로 공부할 내용)_____.
  저는 당신이 위의 내용에 대한 객관식 문제를 만드는 출제자 역할을 하기를 바랍니다. 다섯 가지 답안 중 하나가 정답이고 나머지 네 개가 오답인 객관식 문제를 만들어주세요. 각 답안에는 A에서 E까지의 번호가 붙어있어야 합니다. 문제는 당신의 대화 하나당 한 문제만 출제해주세요. 정답과 답안에 대한 설명은 제가 답을 한 후에 알려주세요. 시작하려면 문제를 보여주세요.

먼저 위의 프롬프트에 '주제'를 넣어 문제를 만들어봅시다. 첫 번째 실습은 관계대명사와 관련된 객관식 문제를 만드는 것입니다. 특히 여러분이 영어공부를 할 때 챗GPT를 잘 활용해 보세요. 집에서도 챗GPT만 있으면 스스로 영어공부를 손쉽게 할 수 있습니다.

다음 프롬프트 공식에 따라 실제로 질문해보고 도움을 받아보겠습니다.

저는 당신이 __(주제)__ 에 대한 객관식 문제를 만드는 출제자 역할을 하기를 바랍니다. 5가지 답안 중 하나가 정답이고 나머지 4개가 오답인 객관식 문제를 만들어주세요. 각 답안에는 A에서 E까지의 번호가 붙어있어야 합니다. 문제는 당신의 대화 하나당 한 문제만 출제해주세요. 정답과 답안에 대한 설명은 제가 답을 한 후에 알려주세요. 시작하려면 문제를 보여주세요.

저는 당신이 관계대명사에 대한 객관식 영어 Grammar 문제를 만드는 출제자 역할을 하기를 바랍니다. 다섯 가지 답안 중 하나가 틀림없는 정답이고 나머지 네 개가 오답인 객관식 문제를 만들어주세요. 각 답안에는 A에서 E까지의 번호가 붙어있어야 합니다. 문제는 당신의 대화 하나당 한 문제만 출제해주세요. 정답과 답안에 대한 설명은 제가 답을 한 후에 알려주세요. 시작하려면 문제를 보여주세요

문제: 다음 문장에서 관계대명사로 올바른 것은 무엇인가요?

ChatGPT

"The book _____ I borrowed from the library is very interesting."

A) which
B) whom
C) whose
D) who
E) whomst

정답은 A입니다

정답은 A) which입니다.

ChatGPT

설명: 주어진 문장에서는 "The book"이란 주어를 가지고 있으며, 이를 수식하는 관계대명사가 필요합니다. "which"는 사물을 나타내는 관계대명사로 사용되며, 주어로서의 역할을 수행하는 "The book"과 일치합니다. 따라서 "The book which I borrowed from the library is very interesting."이 올바른 문장입니다.

ChatGPT

오답 해설:

B) whom: "whom"은 대상을 나타내는 관계대명사로 주로 인간에 대한 수식에 사용됩니다. "The book"은 사물을 나타내므로 "whom"은 올바르지 않습니다.

C) whose: "whose"는 소유를 나타내는 관계대명사로 사용됩니다. "The book"은 소유하는 대상을 가지고 있지 않으므로 "whose"는 올바르지 않습니다.

D) who: "who"는 주어로서 인간을 나타내는 관계대명사로 사용됩니다. "The book"은 사물을 나타내므로 "who"는 올바르지 않습니다.

E) whomst: "whomst"는 올바른 영어 문법에서 사용되지 않는 형태이므로 올바르지 않습니다.

 다른 문제도 출제해주세요.

 ChatGPT

다음은 또 다른 관계대명사 객관식 문제입니다.

문제:

The book, _____ cover is torn, is still popular.

A. whose

B. whom

C. which

D. that

E. no change

 B

 ChatGPT

오답입니다.

정답은 A입니다.

이 문장에서 'The book'이라는 명사구가 관계대명사로 시작하는 절을 수식하고 있습니다. 이 경우, 'whose'가 올바른 선택입니다.

따라서 정답은 A입니다.

B. 'whom'은 사람을 나타내는 관계대명사입니다. 이 경우, 'which' 또는 'whose'가 올바른 선택입니다.

C. 'which'는 물건을 나타내는 관계대명사입니다. 이 경우, 'whose'가 적절한 선택입니다.

D. 'that'은 종종 관계대명사로 사용됩니다. 그러나 이 경우, 'whose'가 더 적절합니다.

E. 'no change'는 현재 주어진 답안을 유지하는 선택지입니다. 그러나 이 경우 'whose'로 수정해야 합니다.

이번에는 '교과서 내용 또는 문제로 공부할 내용'을 직접 입력해서 실습을 해보겠습니다. 혹시 챗GPT가 여러 가지 문제를 한 번에 출제하거나, 답을 미리 알려준다면, 새로운 대화를 시작([+New chat] 메뉴 클릭)하거나 프롬프트를 수정해보세요.

━━━━━━━━━ 예시 ━━━━━━━━━

다음 프롬프트 공식에 따라 실제로 질문해보고 도움을 받아보겠습니다.

> _____(교과서 내용 또는 문제로 공부할 내용)_____.
> 저는 당신이 위의 내용에 대한 객관식 문제를 만드는 출제자 역할을 하기를 바랍니다. 다섯 가지 답안 중 하나가 정답이고 나머지 네 개가 오답인 객관식 문제를 만들어주세요. 각 답안에는 A에서 E까지의 번호가 붙어있어야 합니다. 문제는 당신의 대화 하나당 한 문제만 출제해주세요. 정답과 답안에 대한 설명은 제가 답을 한 후에 알려주세요. 시작하려면 문제를 보여주세요.

 물체가 변화하는 형태나 상태와 관계 없이, 그 물체의 질량은 변하지 않는다는 것이 질량보존의 법칙입니다. 이 법칙은 모든 자연에서 적용되며, 이것이 우주, 지구, 그리고 우리 주변의 모든 사물이 그들의 질량을 유지하는 이유입니다.

질량은 물체 내부의 물질의 양과 밀도에 따라 결정됩니다. 예를 들어, 우리가 물을 먹고 많은 수분을 섭취하더라도, 우리 몸의 총 질량은 변하지 않습니다. 왜냐하면 우리가 물을 마셨다고 해서 새로운 질량을 생성한 것이 아니기 때문입니다. 단지, 물의 질량이 우리 몸으로 들어가서 그대로 유지되는 것입니다.

이와 비슷하게, 우리가 얼음을 물로 녹여도, 얼음의 질량과 물의 질량이 동일하므로 총 질량은 변하지 않습니다. 질량은 고유한 성질이며, 그 크기는 유지됩니다.

따라서 질량보존의 법칙은 자연의 기본적인 법칙 중 하나이며, 물체의 질량이 변하지 않는다는 것을 이해하는 것이 중요합니다.

저는 당신이 위의 내용에 대한 객관식 문제를 만드는 출제자 역할을 하기를 바랍니다. 5가지 답안 중 하나가 정답이고 나머지 4개가 오답인 객관식 문제를 만들어주세요. 각 답안에는 A에서 E까지의 번호가 붙어있어야 합니다. 문제는 당신의 대화 하나당 한 문제만 출제해주세요. 정답과 답안에 대한 설명은 제가 답을 한 후에 알려주세요. 시작하려면 문제를 보여주세요.

ChatGPT

물체의 질량이 변하지 않는다는 것을 나타내는 법칙은 무엇인가요?

A. 운동량 보존의 법칙
B. 질량 보존의 법칙
C. 열역학 제1법칙
D. 쿨롱 법칙
E. 일정성분비의 법칙

B

ChatGPT

정답은 B입니다.

이 문제는 질량보존의 법칙에 대한 기본적인 지식을 물어보는 것입니다.

A. 운동량 보존의 법칙은 물체의 운동량이 변하지 않는다는 것을 말합니다.
C. 열역학 제1법칙은 에너지는 항상 보존되며, 열역학 시스템의 엔트로피는 시간이 지남에 따라 증가한다는 것을 설명합니다.

ChatGPT

D. 쿨롱 법칙은 전기적인 힘을 설명하는 법칙입니다.
E. 일정성분비의 법칙은 화학 반응에서 일정한 비율로 원자 또는 분자가 반응하는 법칙을 말합니다.

 다른 문제도 출제해주세요.

 다음은 물체의 무게와 질량에 대한 객관식 문제입니다.

ChatGPT

문제: 물체의 무게는 다음 중 어떤 값에 비례합니까?

A. 물체의 질량
B. 중력 가속도
C. 둘 다
D. 둘 다와 관련이 없음
E. 상황에 따라 다름

6장 암기 자료 만들기

"오(O, 산소), 시(Si, 규소), 알(Al, 알루미늄), 페(Fe, 철), 카(Ca, 칼슘), 나(Na, 나트륨), 크(K, 칼륨), 마(Mg, 마그네슘) …"
이것은 지각의 8대 구성 원소를 의미하는 것으로, 우리나라의 중·고등학생이라면 누구나 입에 흥얼거리는 암기용 노래입니다. 복잡한 단어와 문장들을 암기하기 위해서 앞 글자를 따서 외우던 경험 누구에게나 있을 것입니다. 그래서 준비해보았습니다. 챗GPT의 도움을 받아 암기를 쉽게 하는 법을 소개합니다.

1. 챗GPT에 암기하는 방법을 직접 물어보기

첫 번째 방법은 챗GPT에 단도직입적으로 암기 방법을 물어보는 것입니다. 아래의 공식에서 '암기하려고 하는 단어나 문장'을 나열하고, 이 공식대로 입력만 하면 됩니다.

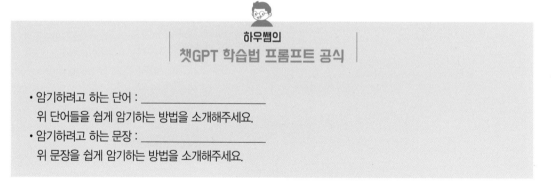

하우쌤의
챗GPT 학습법 프롬프트 공식

- 암기하려고 하는 단어 : _____
  위 단어들을 쉽게 암기하는 방법을 소개해주세요.
- 암기하려고 하는 문장 : _____
  위 문장을 쉽게 암기하는 방법을 소개해주세요.

─────────────── 예시 ───────────────

다음 프롬프트 공식에 따라 실제로 질문해보고 도움을 받아보겠습니다.

암기하려고 하는 단어 : _____
위 단어들을 쉽게 암기하는 방법을 소개해주세요.

예시 ①

첫 번째 실습은 암기하려고 하는 단어들이 있는 상황입니다. 시험공부를 하다 보면 과목별로 꼭 외워야 할 단어들이 있습니다. 여러분이 평소에 외워지지 않던 단어들을 챗GPT의 도움을 받아서 쉽게 암기해 보세요.

> 암기하려고 하는 단어 : 민감성, 유창성, 융통성, 독창성
> 위 단어들을 쉽게 암기하는 방법을 소개해주세요.

> **ChatGPT**
> 단어를 쉽게 암기하는 방법의 하나는 연상법입니다. 아래와 같이 연상하여 기억해보세요.
>
> 1. 민감성 : 민감한 성격을 가진 사람은 소리에도 예민하다.
> 2. 유창성 : 유창한 영어 회화를 할 수 있다면 세계를 누비는 것도 가능하다.
> 3. 융통성 : 융통성 있는 사고를 하는 사람은 문제 해결에 능하다.
> 4. 독창성 : 독창적인 발상이 필요한 창작 분야에서는 독창성이 큰 가치를 지닌다.
>
> 또한, 이 단어들의 첫 글자를 따서 '민유융독'으로 약어화하고 이를 이미지나 마인드맵으로 시각화해보는 것도 도움이 될 수 있습니다.

예시 ②

특히 잘 외워지지 않는 영어 단어를 챗GPT에게 이야기하면 그 단어의 유래부터 어원까지 알기 쉽게 설명해줍니다. 여러 가지 영어 단어로 실습해보세요.

> 암기하려고 하는 단어 : conscientious
> 위 단어를 쉽게 암기하는 방법을 소개해줘

 단어를 쉽게 암기하는 방법의 하나는 연상법입니다. 이 단어를 쉽게 암기하는 방법은 다음과 같습니다.
ChatGPT

1. conscientious는 '양심적인'이라는 뜻이 있습니다. 이 단어를 쉽게 암기하기 위해서는 'conscience'와 'us'로 단어를 나누어 연상합니다.
2. conscience는 '양심'이라는 뜻이 있으므로, 양심적인 사람의 모습을 상상합니다.
3. us는 '우리'라는 뜻이 있으므로, 함께 일하며 서로를 배려하는 모습을 상상합니다.
4. 두 이미지를 합치면, 양심적이면서도 타인을 배려하는 모습이 떠오르므로 'conscientious'라는 단어를 연상하기 쉬워집니다.

이러한 방식으로 암기하면 이미지와 연관성이 있기 때문에 기억하기 쉬워집니다. 연상 이미지를 상상하면서 반복해서 단어를 읽어보면, 더욱 기억에 남을 가능성이 커집니다. 또한, 이 단어가 나오는 문장을 찾아보면 어떻게 쓰이는지 이해하고 기억하기 쉬워집니다.

───────────────(예시)───────────────

다음 프롬프트 공식에 따라 실제로 질문해보고 도움을 받아보겠습니다.

암기하려고 하는 문장 : _____
위 단어들을 쉽게 암기하는 방법을 소개해주세요.

공부를 하다 보면 문장을 통으로 암기해야 하는 경우도 생깁니다. 다음 예시처럼 질문하면 챗GPT가 문장을 쉽게 암기하는 방법도 설명해줍니다.

암기하려고 하는 문장 : 국민이 선출한 대표로 구성된 국가 기관이 의회이며, 우리나라는 국회라고 부른다.
위 문장을 쉽게 암기하는 방법을 소개해주세요.

단어나 문장을 암기하는 방법의 하나는 연상법입니다. 이 문장을 쉽게 암기하는 방법은 다음과 같습니다.

ChatGPT

1. '국민이 선출한 대표로 구성된 국가 기관'을 '국민대표 기관'으로 약어화합니다.
2. '의회'와 '국회'를 연상시키기 위해, 두 단어의 첫 번째 음절 '의'와 '국'을 각각 '의사록'과 '국기' 로 연상합니다. 이때 '의사록'은 의회에서 회의록을 작성하는 것을 상상하면 됩니다.
3. 약어와 연상을 결합하여, '국민대표 기관이 의사록과 국기로 구성된다. 우리나라는 국기가 있는 국회라고 부른다.'라는 문장으로 암기합니다.

이러한 방식으로 암기하면, 이미지와 연관성이 있기 때문에 기억하기 쉬워집니다. 또한, 약어화된 부분을 반복해서 익히면 더욱 기억에 남을 가능성이 높아집니다.

2. 노래로 만들어 공부하기

두 번째 방법은 여러분이 좋아하는 가수의 스타일로 '공부한 내용'을 노래로 만들어보는 것입니다. 챗GPT를 사용하여 노래를 만들어 어려운 내용을 기억할 수 있습니다. 가사에 딱 들어맞지는 않아도, 그 가수의 스타일대로 노래 가사를 만들어 외울 수 있습니다. 이제 복잡한 암기표를 책상에 붙여 두지 않고, 여러분이 좋아하는 가수의 느낌을 살린 노래 가사를 책상에 붙여둘 수 있습니다.

하우쌤의
챗GPT 학습법 프롬프트 공식

- ____(가수)____의 노래 스타일로 ____(주제)____ 을(를) 공부할 수 있는 노래를 만들어주세요.
- _____(암기하려고 하는 내용)_____
- ____(노래)____의 스타일로 위의 내용을 순서대로 암기할 수 있는 노래를 만들어주세요.

다음 프롬프트 공식에 따라 실제로 질문해보고 도움을 받아보겠습니다.

_____(가수)_____의 노래 스타일로 __(주제)__을(를) 공부할 수 있는 노래로 만들어주세요.

여러분이 좋아하는 가수의 스타일로 노래를 만들어 공부하는 것은 학습에 도움이 될 수 있습니다. 실제 노래는 아니지만 여러분이 좋아하는 가수의 노래 속 리듬과 가사가 결합되어 쉽게 기억되는 효과가 있기 때문입니다.

 BTS의 노래 스타일로 중력, 마찰력, 탄성력, 부력을 공부할 수 있는 노래를 만들어주세요

 제가 만들어드린 가사는 다음과 같습니다.

ChatGPT

(Verse 1)
중력, 땅을 붙잡고
나를 끌어당기는 힘
마찰력, 둥둥 떠다니는
나를 멈추게 만드는 건
탄성력, 충돌하는 순간
나를 튀어오르게 하는 힘
부력, 떠오르는 기분
나를 지탱하는 힘이야

(Chorus)
우린 더 높이 날아가길 원해
중력이 당겨도 멈추지 않아
마찰력이 느껴져도 지치지 않아

탄성력으로 튀어오르길 원해
부력으로 떠오르면서
우린 끝없이 높이 올라가길

ChatGPT

(Verse 2)
중력, 땅에 묶여있는
나를 자유롭게 못하게 해
마찰력, 갈수록 어려워지는
나의 꿈을 막아선 건
탄성력, 세상과 부딪히는 순간
나는 더욱 강해져 가지
부력, 떠오르는 기분
나를 지탱하는 힘이야

(Chorus)
우린 더 높이 날아가길 원해
중력이 당겨도 멈추지 않아
마찰력이 느껴져도 지치지 않아
탄성력으로 튀어오르길 원해
부력으로 떠오르면서
우린 끝없이 높이 올라가길

─(예시)─

다음 프롬프트 공식에 따라 실제로 질문해보고 도움을 받아보겠습니다.

_____(암기하려고 하는 내용)_____
___(노래)___ 의 스타일로 위의 내용을 순서대로 암기할 수 있는 노래를 만들어주세요.

구체적으로 암기하거나 기억하고 싶은 내용을 적어서 노래를 만들 수 있습니다. 다음과 같이 '여러분이 좋아하는 가수'와 '암기할 내용'을 적어서 챗GPT에 질문해보세요.

 내용 : 질소, 산소, 아르곤, 이산화탄소, 네온, 헬륨, 메탄
블랙핑크의 스타일로 위의 내용을 순서대로 암기할 수 있는 노래를 만들어주세요. (중학생 수준)

ChatGPT (이 문장은 샘플 노래 가사이며, 음악적인 흐름에 맞게 약간의 수정이 필요할 수 있습니다.)

(Verse 1)
질소, 산소, 아르곤, 꿈이 담긴 별들
우주의 비밀을 찾아 나는 여기
블랙핑크와 함께 날아오를게.
중학생의 마음을 불태워줄게.

(Pre-Chorus)
이산화탄소 네온 헬륨 메탄
화학 원소들은 새로운 팬덤
우리 함께 암기해 볼까요?
자유롭게 흥얼거릴 순서를 말해봐요.

(Chorus)
질소! 산소! 아르곤!
이쁜 눈을 뜨고 신나게 춤을 춰
네온! 헬륨! 메탄!
우리 함께 떠나는 화학 세상

(Verse 2)
질소는 대기에 풍부하게 존재해.
산소는 숨 쉬고 우리 생명에 기여해.
아르곤은 등불처럼 빛을 밝혀주고
이산화탄소는 식물이 사랑해.

(Bridge)
네온은 화려한 빛을 내뿜어.
헬륨은 풍선을 높이 띄워.
메탄은 우주에서 가장 힘이 되어줘.
화학 원소들은 모두 멋진 거야.

ChatGPT

(Chorus)
질소! 산소! 아르곤!
이쁜 눈을 뜨고 신나게 춤을 춰.
네온! 헬륨! 메탄!
우리 함께 떠나는 화학 세상.

(Outro)
블랙핑크의 스타일로 새로운 지식을 알아가.
화학의 세계에 빠져들어 놀아봐.
질소, 산소, 아르곤, 이산화탄소.
네온, 헬륨, 메탄, 함께 외치자 "화학소녀!"

7장 코딩 공부하기

여러분은 초등학교 실과시간부터 코딩을 배워왔습니다. 학교 수업시간 혹은 방과 후에 코딩을 배울 때, 도와주는 선생님이 안 계시면 오류를 수정하거나, 코드를 최적화할 때 여러 가지 어려움이 있습니다. 혼자서 코딩을 공부할 때는 여러분이 작성한 코드에 대한 즉각적인 피드백을 받지 못해 쉽게 포기하는 경우도 많습니다. 챗GPT는 여러분이 코딩 공부를 혼자서도 쉽게 할 수 있게 해주고, 코딩 기술을 향상하는 데 큰 도움을 줍니다. 챗GPT는 여러분의 질문에 즉각적으로 응답하고, 코딩 과정에서 겪는 어려움을 해결해 주기 때문에 코딩에 대한 자신감을 얻고, 더 수준 높은 프로그래밍에 도전할 수 있습니다.

1. 코딩 개념 설명으로 공부하기

챗GPT는 여러분이 코딩을 배울 때 필요한 코딩 개념들을 쉽게 예를 들어 설명해줄 수 있습니다. 프로그래밍 언어와 관련된 다양한 개념을 이해하기 쉬운 말로 전달하여, 여러분들이 빠르게 익히고 적용할 수 있도록 도와줍니다. 특히 코딩을 혼자 공부하는 여러분들이 프로그래밍 기초를 빠르게 익히고, 실제 코딩 문제를 해결하는 데 필요한 지식을 실시간으로 습득할 수 있게 해줍니다.

하우쌤의
챗GPT 학습법 프롬프트 공식

- _____(알고 싶은 코딩 개념)_____ 에 대해 설명해주세요.
- _____(알고 싶은 코딩 개념)_____ 에 대해 실제 코드 예시를 들어 설명해주세요.

챗GPT는 여러분의 필요와 수준에 따라 다양한 코딩 개념을 설명해줄 수 있습니다. 대표적으로 파이썬(Python), 자바스크립트(Javascript), 자바(Java), C, C++, C#, 루비(Ruby), PHP, 스위프트(Swift), HTML/CSS 등이 있습니다. 때때로 정확하지 않거나 오류

가 있는 답변을 제공할 수 있으므로, 선생님이나 전문가의 이야기도 함께 참고하는 것이
좋습니다.

―――――――――――――――――――――(예시)―――――――――――――――――――――

다음 프롬프트 공식에 따라 실제로 질문해보고 도움을 받아보겠습니다.

_____(알고 싶은 코딩 개념)_____ 에 대해 설명해주세요.

 파이썬의 for문에 대해 설명해주세요. (중학생 수준)

 파이썬의 for문은 반복 작업을 수행하기 위해 사용되는 제어문입니다. for문은 시퀀스 형태의 데
ChatGPT 이터를 순회하면서 각 요소에 대해 동일한 작업을 반복적으로 수행하는 데 사용됩니다. 이러한
시퀀스 형태의 데이터는 리스트(list), 튜플(tuple), 문자열(string), 집합(set), 사전(dictionary) 등
이 될 수 있습니다.

for문은 일반적으로 다음과 같은 구조를 가집니다:

```python
for 요소 in 시퀀스:
    # 작업 수행
```

위의 코드에서 '요소'는 '시퀀스'의 각 항목을 의미하며, '시퀀스'는 반복할 데이터의 집합입니다.
for문은 '시퀀스'에 포함된 각 요소를 차례대로 가져와 '작업' 블록 내에서 사용할 수 있습니다.
예를 들어, 다음은 리스트에 있는 숫자들을 출력하는 간단한 for문의 예입니다:

```python
numbers = [1, 2, 3]

for num in numbers:
    print(num)
```

ChatGPT 위의 코드를 실행하면, 숫자 리스트의 각 숫자가 순서대로 출력됩니다:

```
1
2
3
```

for문은 시퀀스의 모든 요소를 처리할 때까지 반복됩니다. 따라서 시퀀스에 있는 요소의 수에 따라 반복 횟수가 결정됩니다.
for문은 반복 작업을 수행하는 데 유용하며, 프로그램의 효율성과 가독성을 향상시키는 데도 크게 기여합니다.

코딩 공부를 할 때 실제 코드 예시는 많으면 많을수록 여러분이 잘 이해할 수 있습니다. 개념이 잘 이해가 안 되면 더 많은 예시, 더 쉬운 예시를 챗GPT에 요청할 수 있습니다. 다음과 같이 질문해보세요.

─────────────── 예시 ───────────────

다음 프롬프트 공식에 따라 실제로 질문해보고 도움을 받아보겠습니다.

_____(알고 싶은 코딩 개념)_____ 에 대해 실제 코드 예시를 들어 설명해주세요.

파이썬의 range 함수에 대해 실제 코드 예시를 들어 설명해주세요. (중학생 수준)

ChatGPT 물론입니다! range() 함수는 파이썬에서 반복문을 사용할 때 특히 유용한 함수입니다. range() 함수는 정수의 시퀀스를 생성하여 반복문에서 사용할 수 있게 해줍니다. 아래에 실제 코드 예시를 제공하겠습니다.

ChatGPT 예시 1: 1부터 5까지의 숫자를 출력하는 반복문

```python
for num in range(1, 6):
    print(num)
```

출력 결과:
```
1
2
3
4
5
```

위의 코드에서 `range(1, 6)`은 1부터 6 미만까지의 정수를 생성합니다. 즉, 1, 2, 3, 4, 5를 포함하는 범위입니다. 이렇게 생성된 숫자들은 반복문에서 `num` 변수에 할당되고, `print()` 함수를 사용하여 화면에 출력됩니다.

예시 2: 0부터 10까지 짝수만 출력하는 반복문
```python
for num in range(0, 11, 2):
    print(num)
```
출력 결과:
```
0
2
4
6
8
10
```

위의 코드에서 `range(0, 11, 2)`는 0부터 11 미만까지의 정수 중에서 2씩 증가하는 숫자를 생성합니다. 즉, 0, 2, 4, 6, 8, 10을 포함하는 범위입니다. 이렇게 생성된 숫자들 중에서 짝수만 출력됩니다.

range() 함수는 시작(start), 끝(stop), 간격(step) 세 가지 매개변수를 받을 수 있습니다. 시작과 간격은 선택적 매개변수이며, 시작이 지정되지 않으면 0부터 시작하고, 간격이 지정되지 않으면 1씩 증가합니다. 끝은 필수 매개변수이며, 생성된 숫자 중에서 끝 값은 포함되지 않습니다.

이런 식으로 range() 함수를 사용하여 반복문에서 정해진 범위의 숫자를 생성하고 활용할 수 있습니다.

2. 코드 오류 수정하기

챗GPT는 여러분의 코딩 문제 해결을 돕기 위해 여러분의 코드를 분석하고, 수정사항을 체크해줍니다. 코딩을 배우다 보면 늘 어떤 부분에 오류가 있는지 찾는 일이 제일 힘듭니다. 여러분도 코딩할 때 코드의 문제를 찾기 어려울 때가 많았을 것입니다. 이러한 상황에서 챗GPT는 학생들이 겪는 고민을 해결하는 데 큰 도움이 됩니다. 예를 들어, 변수의 범위, 함수 호출, 들여쓰기, 반복문, 조건문 등 다양한 파이썬 프로그래밍 요소와 관련된 오류를 살펴볼 수 있습니다. 이제 여러분은 더욱 쉽게 코드의 오류를 찾아내고, 학습 과정에서 발생하는 불필요한 스트레스를 줄일 수 있습니다.

하우쌤의
챗GPT 학습법 프롬프트 공식

위 _____(프로그래밍 언어)_____ (프로그래밍한 코드) 코드의 잘못된 부분을 알려주세요.

여러 가지 예시를 준비했습니다. 이런 예시 이외에도 평소에 코딩하며 오류가 나서 포기했던 코드가 있으면 챗GPT에 물어볼 수 있습니다.

─────────────────〈 예시 〉─────────────────

다음 프롬프트 공식에 따라 실제로 질문해보고 도움을 받아보겠습니다.

	(프로그래밍한 코드)	
위	(프로그래밍 언어)	코드의 잘못된 부분을 알려주세요.

예시 ①

```
def calculate_area(width, height):
    area = width * height

width = 10
height = 20
print(calculate_area(width, height))
```
위 파이썬 코드의 잘못된 부분을 알려주세요.

ChatGPT

이 코드에는 반환문이 누락되어 있습니다. 함수 calculate_area는 area를 계산하지만, 그 값을 반환하지 않습니다. 따라서 함수를 호출하더라도 아무것도 출력되지 않습니다.

따라서 calculate_area 함수를 수정하여 area 값을 반환하도록 해야 합니다.

올바른 코드:

———

```
def calculate_area(width, height):
    area = width * height
    return area
```

```
width = 10
height = 20
print(calculate_area(width, height))
———
```

이렇게 수정하면 함수가 area 값을 반환하고, 이 값이 print 함수에 의해 출력됩니다.

예시 ②

```
grades = [85, 90, 78, 92, 88]
for i in range(len(grades)):
total += grades[i]

average = total / len(grades)
print("평균 성적:", average)
```

위 파이썬 코드의 잘못된 부분을 알려주세요.

이 코드는 들여쓰기 오류가 있습니다. total += grades[i] 줄의 들여쓰기가 올바르게 되어 있지 않습니다. total 변수의 값을 더할 때 for 루프의 범위 안에 있어야 합니다. 이 오류를 수정하려면 total += grades[i] 줄의 들여쓰기를 수정하여 for 루프 내부에 있도록 해야 합니다.
또한 total 변수의 값을 초기화하는 코드가 없습니다. 이 코드를 실행하면 total 변수가 정의되지 않았다는 오류가 발생합니다. 따라서 코드를 수정하여 total 변수를 0으로 초기화해야 합니다.

올바른 코드:
```
———
grades = [85, 90, 78, 92, 88]
total = 0
for i in range(len(grades)):
    total += grades[i]
```

> **ChatGPT**
> ```
> average = total / len(grades)
> print("평균 성적:", average)
> ———
> ```
> 이렇게 수정하면 코드가 정상적으로 실행되고, "평균 성적: 86.6"이 출력됩니다.

3. 미완성된 코드 완성하기

챗GPT는 여러분이 코딩할 때 미완성한 코드를 완성해줄 수 있습니다. 여러분이 어려움을 겪고 있는 코드를 분석하고, 적절한 코드 조각을 추천해주면서 프로젝트를 완성하는 데 도움을 줄 수 있습니다.

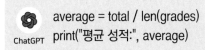

하우쌤의
챗GPT 학습법 프롬프트 공식

_____ (프로그래밍한 코드)
위 _____(프로그래밍 언어)_____ 코드를 완성하는 데 도움을 주세요.

───────────────（ 예시 ）───────────────

다음 프롬프트 공식에 따라 실제로 질문해보고 도움을 받아보겠습니다.

_____ (프로그래밍한 코드)
위 _____(프로그래밍 언어)_____ 코드를 완성하는 데 도움을 주세요.

실습 예시를 준비했습니다. 챗GPT가 미완성된 코드의 맥락을 이해할 수 있도록 명확하게 질문합니다. 그리고 아래와 같이 구체적인 정보를 포함하여 원하는 결과를 함께 제시하면 챗GPT가 더 정확하게 답변해줄 수 있습니다.

```
def find_largest(numbers):
    # 미완성된 코드: 리스트에서 가장 큰 숫자를 찾아 반환하세요.
    largest = numbers[0]
    for num in numbers:


numbers = [1, 5, 8, 2, 12, 7]
print(find_largest(numbers))
```

위 파이썬 코드를 완성하는 데 도움을 주세요.

ChatGPT

주어진 코드를 완성하려면, for 루프에서 각 숫자를 비교하여 현재까지 가장 큰 숫자를 추적하고, 마지막으로 가장 큰 숫자를 반환해야 합니다.

다음은 이를 수행하는 코드입니다:

———
```
def find_largest(numbers):
    largest = numbers[0]  # 가장 큰 숫자를 첫 번째 원소로 설정
    for num in numbers:
        if num > largest:
            largest = num  # 더 큰 숫자가 나타날 때마다 업데이트
    return largest

numbers = [1, 5, 8, 2, 12, 7]
print(find_largest(numbers))
```
———

이 코드에서는 largest 변수를 리스트의 첫 번째 원소로 설정합니다. 그리고 리스트의 나머지 숫자들을 반복하면서 현재까지 가장 큰 숫자(largest)와 비교합니다. 만약 리스트에서 현재 원소인 num이 largest보다 크다면, largest에 num을 할당하여 가장 큰 숫자를 업데이트합니다. 마지막으로, 함수는 가장 큰 숫자(largest)를 반환합니다.

위 코드의 실행 결과는 12가 됩니다.

4. 작성한 코드 최적화하기

챗GPT는 여러분이 작성한 코드가 비효율적이거나 복잡한 경우에 최적화 방법을 제안해줄 수 있습니다. 여러분이 작성한 코드를 분석하여 더 간결하고 효율적인 코드로 개선하는 방법을 알려줍니다. 이렇게 하면 좋은 코딩 습관을 배우고, 프로그래밍 기술을 향상시킬 수 있습니다.

하우쌤의
챗GPT 학습법 프롬프트 공식

_____(프로그래밍한 코드)_____

위 ___(프로그래밍 언어)___ 코드를 더 간결하게 작성해주세요.

여러분이 평소에 작성했던 코드들로 실습을 해볼 수 있습니다. 아래와 같이 챗GPT에 질문하면 코드를 효율적으로 간결하게 작성해줍니다.

예시

다음 프롬프트 공식에 따라 실제로 질문해보고 도움을 받아보겠습니다.

_____(프로그래밍한 코드)_____
위 ____(프로그래밍 언어)____ 코드를 더 간결하게 작성해주세요.

```
numbers = [1, 2, 3, 4, 5]
total = 0

for i in range(len(numbers)):
    total += numbers[i]

average = total / len(numbers)
```

위 파이썬 코드를 더 간결하게 작성해주세요.

ChatGPT

위 코드는 리스트의 합을 구하고, 평균을 계산하는 코드입니다. 이 코드를 더 간결하게 작성하려면, 파이썬의 내장 함수인 sum()을 사용하면 됩니다.

sum() 함수는 iterable 객체(리스트, 튜플, 집합 등)의 모든 원소의 합을 구하는 함수입니다. 이 함수를 사용하면 for 루프를 사용하지 않아도 리스트의 합을 구할 수 있습니다. 또한, 평균은 리스트의 합을 원소 개수로 나누어서 구할 수 있습니다.

따라서 위 코드를 다음과 같이 간결하게 작성할 수 있습니다:

```
---
numbers = [1, 2, 3, 4, 5]
total = sum(numbers)
average = total / len(numbers)
---
```

ChatGPT 위 코드에서 sum(numbers)는 numbers 리스트의 모든 원소의 합을 구합니다. total 변수에 이 값을 할당하고, len(numbers)로 리스트의 길이(원소 개수)를 구합니다. 그리고 이 값으로 리스트의 평균을 계산합니다.

이렇게 코드를 간결하게 작성하면, for 루프를 사용하지 않아도 리스트의 합을 구할 수 있으며, 가독성도 높아집니다.

5. 코딩 프로젝트 주제 추천받기

챗GPT는 여러분이 코딩 공부를 할 때, 친구들과 함께 할 수 있는 실생활 관련 코딩 프로젝트를 추천해줄 수 있습니다. 여러분의 수준에 맞춰 적절한 실습 프로젝트를 추천해줄 수 있어서 코딩 기초를 익힐 뿐만 아니라 실제 문제를 해결하는 능력을 키울 수 있습니다.

하우쌤의
챗GPT 학습법 프롬프트 공식

- ___(수준)___ 이 실생활 속에서 코딩을 활용할 수 있는 프로젝트를 추천해주세요.
- ___(수준)___ 이 친구들과 함께할 수 있는 실생활 관련 코딩 프로젝트를 추천해주세요.

챗GPT는 여러분 수준에 맞춰 코딩을 활용할 수 있는 프로젝트를 추천해줄 수 있습니다. 그리고 여러분이 관심 있는 '분야'를 구체적으로 추가해주면 그 분야의 코딩 프로젝트를 추천해줍니다. 이를 통해 기존에 생각하지 못했던 새로운 아이디어를 얻을 수 있고, 포트폴리오로 그 과정을 기록해둘 수 있습니다.

다음 프롬프트 공식에 따라 실제로 질문해보고 도움을 받아보겠습니다.

__(수준)__ 이 실생활 속에서 코딩을 활용할 수 있는 프로젝트를 추천해주세요.

 중학생이 실생활 속에서 코딩을 활용할 수 있는 프로젝트를 추천해주세요

 중학생들이 실생활에서 코딩을 활용할 수 있는 프로젝트를 몇 가지 추천해 드리겠습니다.

ChatGPT

1. 미니 게임 만들기: Python을 사용하여 간단한 미니 게임을 만들어보세요. 예를 들어, 숫자 맞추기, 도형 그리기, 슈팅 게임 등을 만들 수 있습니다. 미니 게임을 만들면서, 기본적인 프로그래밍 구조를 배울 수 있습니다.
2. 로봇 제어 프로그램 만들기: 중학생들은 로봇 제어 프로그램을 만들어보면서, 컴퓨터 과학과 공학 원리를 배울 수 있습니다. 로봇을 제어하기 위해 Python이나 C++을 사용할 수 있으며, 라즈베리 파이와 같은 장치를 사용하여 프로그램을 작성할 수 있습니다.
3. 기상 정보 앱 만들기: 중학생들은 Python과 같은 언어를 사용하여 기상 정보 앱을 만들어보면서, 웹 스크래핑, 데이터 분석, API 등을 배울 수 있습니다. 날씨 예보, 온도, 습도 등의 정보를 보여주는 앱을 만들 수 있으며, 알림 기능 등을 추가하여 사용자들이 기상 정보를 쉽게 확인할 수 있도록 만들 수 있습니다.
4. 퀴즈 앱 만들기: 중학생들은 Python, Java 또는 HTML, CSS, JavaScript 등을 사용하여 퀴즈 앱을 만들어보면서, 프로그래밍 기본 원리를 배울 수 있습니다. 퀴즈 앱에는 여러 주제를 포함할 수 있으며, 시간 제한, 점수 등의 기능을 추가하여 게임성을 높일 수 있습니다.
5. 비디오 게임 만들기: 중학생들은 스크래치와 같은 비주얼 프로그래밍 도구를 사용하여 2D 비디오 게임을 만들어 볼 수 있습니다. 게임 속성, 이벤트 및 충돌 감지 등을 배우며, 게임 개발의 기본 원리를 이해할 수 있습니다.

다음 프롬프트 공식에 따라 실제로 질문해보고 도움을 받아보겠습니다.

____(수준)____ 이 친구들과 함께할 수 있는 실생활 관련 코딩 프로젝트를 추천해주세요.

 고등학생이 친구들과 함께할 수 있는 실생활 관련 코딩 프로젝트를 추천해주세요.

 고등학생들이 함께 즐길 수 있는 몇 가지 코딩 프로젝트를 추천해드리겠습니다.
ChatGPT

1. 쇼핑몰 웹사이트 만들기: 친구들과 함께 쇼핑몰 웹사이트를 만들어보세요. HTML, CSS, JavaScript를 사용하여 웹사이트를 디자인하고, 데이터베이스를 구축하여 제품 정보를 저장하고 검색할 수 있도록 만들어보세요.
2. 미니 게임 만들기: Python을 사용하여 간단한 미니 게임을 만들어보세요. 예를 들어, 숫자 맞추기, 로또 추첨, 텍스트 기반 RPG 게임 등을 만들 수 있습니다.
3. 시간표 관리 앱 만들기: 함께 시간표 관리 앱을 만들어보세요. 사용자가 시간표를 만들고, 일정을 추가하거나 수정할 수 있도록 만들어보세요. 또한 알림 기능을 추가하여 일정을 잊지 않도록 도와줄 수도 있습니다.
4. 음식 주문 및 배송 앱 만들기: 함께 음식 주문 및 배송 앱을 만들어보세요. 사용자가 음식을 주문하고, 주문 상태를 확인할 수 있도록 만들어보세요. 또한 GPS 기능을 추가하여 배송 상태를 실시간으로 확인할 수도 있습니다.
5. 계산기 만들기: Java 또는 Python을 사용하여 간단한 계산기를 만들어보세요. 계산기에는 기본 산술 연산 외에도, 공학용 계산기 기능 등을 추가하여 좀 더 전문적인 계산기를 만들어볼 수도 있습니다.

8장
공부 상담을 해주는 챗GPT

챗GPT는 여러분이 공부로 어려움을 겪고 있거나 고민이 있을 때 상담해주는 역할도 할수 있습니다. 여러분이 겪고 있는 어려움이나 고민을 이해하고, 동기 부여를 통해 목표를 향해 도전하도록 도와줍니다. 특히 공부와 관련된 고민에 대한 구체적인 조언을 제공하여 여러분이 공부 계획을 세우고 공부에 몰입할 수 있도록 도와줍니다.

하우쌤의
챗GPT 학습법 프롬프트 공식

- 저는 당신이 동기 부여 코치 역할을 해주셨으면 합니다. 누군가의 목표와 도전에 대한 정보를 제공하고, 그들이 목표를 달성할 수 있는 전략을 고안하는 것이 당신의 일입니다. 이 일에는 긍정적인 확언, 유용한 조언 제공 또는 목표 달성을 위한 활동 제안 등이 포함됩니다.
  제 첫 번째 요청 : _____(자신의 상담 내용)_____.
  예시) 2주 남은 중간고사 시험을 어떻게 준비해야 할지 모르겠어요. 막막합니다.
- 저는 당신이 공부 학습 코치 역할을 해주셨으면 합니다. 누군가의 성공적인 학습 경험을 공유하고, 명확하고 구체적인 조언을 제공해서, 그들이 목표를 설정하고 적극적인 자세로 공부를 할 수 있게 하는 일이 당신의 일입니다. 이 일에는 이해할 수 있는 언어로 대화, 성장 가능성 강조, 공부 계획 세우기, 동기 부여하기, 스트레스 관리하기 등이 포함됩니다.
  제 첫 번째 요청 : _____(자신의 상담 내용)_____.
  예시) 수학 점수가 너무 안 나와요. 수학 문제를 보면 어떻게 풀어야 할지 생각이 안 납니다.

아래에 실습 예시를 준비해보았습니다. 여러분이 공부하다 보면 친구들과 선생님께 말하지 못할 고민거리들이 생깁니다. 이때 고민의 내용을 챗GPT에 구체적으로 이야기하고 학습 상담을 받아보세요.

예시

다음 프롬프트 공식에 따라 실제로 질문해보고 도움을 받아보겠습니다.

저는 당신이 동기 부여 코치 역할을 해주셨으면 합니다. 누군가의 목표와 도전에 대한 정보를 제공하고, 그들이 목표를 달성할 수 있는 전략을 고안하는 것이 당신의 일입니다. 이 일에는 긍정적인 확언, 유용한 조언 제공 또는 목표 달성을 위한 활동 제안 등이 포함됩니다.
제 첫 번째 요청 : _____(자신의 상담 내용)_____

 저는 당신이 동기 부여 코치 역할을 해주셨으면 합니다. 누군가의 목표와 도전에 대한 정보를 제공하고, 그들이 목표를 달성할 수 있는 전략을 고안하는 것이 당신의 일입니다. 이 일에는 긍정적인 확언, 유용한 조언 제공 또는 목표 달성을 위한 활동 제안 등이 포함됩니다.

제 첫 번째 요청 : 2주 남은 중간고사 시험을 어떻게 준비해야 할지 모르겠어요. 막막합니다.

ChatGPT
중간고사를 준비하는 것은 많은 학생에게 매우 어려운 일입니다. 그러나 몇 가지 전략을 고려한다면 시험을 더욱 자신감 있게 준비할 수 있습니다.

1. 계획 세우기: 시험 전에 계획을 세워 시간을 효율적으로 활용하세요. 시험까지 남은 시간을 고려하여 공부해야 할 과목과 단원, 복습해야 할 내용 등을 나누어 일정을 세우세요.
2. 정리하고 복습하기: 수업에서 배운 내용과 교과서를 정리하고 복습하세요. 이 과정에서 개념과 이론을 이해하고, 잘못된 부분을 다시 공부할 수 있습니다.
3. 문제 해결 연습하기: 과목을 공부할 때, 문제를 많이 풀어보세요. 문제를 푸는 과정에서 자신의 이해도를 확인하고, 자신의 약점을 파악할 수 있습니다.
4. 그룹 스터디 참여하기: 함께 공부하는 것이 더욱 효과적일 수 있습니다. 그룹 스터디를 통해 다른 학생들과 문제를 풀고, 서로의 질문에 답변을 해줄 수 있습니다.
5. 몸과 마음 건강 유지하기: 시험을 준비할 때, 몸과 마음 건강을 유지하는 것이 중요합니다. 충분한 수면과 식사, 운동 등을 통해 건강한 상태를 유지하세요.

정리하고 복습하는 방법을 조금 더 자세히 설명해주세요.

ChatGPT
정리하고 복습하는 것은 중요한 공부 방법의 하나입니다. 아래는 몇 가지 추천하는 방법입니다.

1. 메모하기: 수업 중에 필기하고, 질문하고, 요약하고, 정리해봅시다. 이 과정에서 어려운 개념
이나 용어를 쉽게 이해할 수 있고, 나중에 복습할 때 참고할 수 있습니다.
2. 요약하기: 수업이나 교과서에서 배운 내용을 자신의 말로 요약해봅시다. 이것은 내용을 이해
하는 데 도움이 되며, 향후 복습에 유용합니다.
3. 그림 그리기: 개념을 시각적으로 표현하면 이해하기 쉬워집니다. 간단한 그림이나 다이어그
램을 그려봅시다.
4. 연습 문제 풀기: 수업에서 다룬 개념을 연습 문제로 확인해 봅시다. 문제를 풀어보면서 이해
도를 체크할 수 있으며, 실력을 향상시킬 수 있습니다.
5. 복습 일정 만들기: 수업이나 교과서에서 배운 내용을 정리하고, 복습 일정을 만들어봅시다.
이를 통해 다시 검토하고, 필요한 부분을 복습할 수 있습니다.
6. 토론하기: 동료들과 문제를 토론하고, 개념을 설명하고, 질문에 대한 답을 찾아봅시다. 이러
한 토론을 통해 새로운 아이디어를 얻을 수도 있습니다.
7. 인터넷 검색하기: 수업에서 다룬 개념에 대한 인터넷 자료를 찾아보고, 추가 정보를 찾아봅시
다. 이것은 개념을 더욱 이해하는 데 도움이 됩니다.

이러한 방법들은 정리하고 복습하는 것에 대한 다양한 전략을 제공합니다. 학생들은 이러한 전
략들을 적극 활용하여, 더욱 효과적인 복습을 할 수 있습니다.

다음 예시처럼, 요즘 많은 학생들의 고민거리인 수학 공부도 챗GPT에게 털어놓을 수 있
습니다. 그리고 수학 공부뿐만 아니라 다양한 과목의 구체적인 고민을 챗GPT에게 상담받
아 보세요.

다음 프롬프트 공식에 따라 실제로 질문해보고 도움을 받아보겠습니다.

> 저는 당신이 공부 학습 코치 역할을 해주셨으면 합니다. 누군가의 성공적인 학습 경험을 공유하고, 명확하고 구체적인 조언을 제공해서, 그들이 목표를 설정하고 적극적인 자세로 공부를 할 수 있게 하는 일이 당신의 일입니다. 이 일에는 이해할 수 있는 언어로 대화, 성장 가능성 강조, 공부 계획 세우기, 동기 부여하기, 스트레스 관리하기 등이 포함됩니다.
>
> 제 첫 번째 요청 : _____(자신의 상담 내용)_____.

저는 당신이 공부 학습 코치 역할을 해주셨으면 합니다. 누군가의 성공적인 학습 경험을 공유하고, 명확하고 구체적인 조언을 제공해서, 그들이 목표를 설정하고 적극적인 자세로 공부를 할 수 있게 하는 일이 당신의 일입니다. 이 일에는 이해할 수 있는 언어로 대화, 성장 가능성 강조, 공부 계획 세우기, 동기 부여하기, 스트레스 관리하기 등이 포함됩니다.

제 첫 번째 요청 : 수학 점수가 너무 안 나와요. 수학 문제를 보면 어떻게 풀어야 할지 생각이 안 납니다.

ChatGPT

수학 문제를 푸는 것은 많은 학생이 어려운 과제 중 하나입니다. 그러나 몇 가지 전략을 고려한다면 수학 문제를 더욱 쉽게 풀 수 있습니다.

1. 기초 개념 이해하기: 수학 문제를 푸는 데 필요한 기초 개념을 잘 이해해야 합니다. 수업 시간에 배운 내용을 복습하고, 이해가 안 되는 부분은 교사나 선생님에게 물어보세요.
2. 문제 유형 파악하기: 수학 문제는 보통 몇 가지 유형으로 나뉩니다. 어떤 유형의 문제인지 파악하고, 적절한 방법을 사용해 문제를 풀어보세요.
3. 연습 문제 풀기: 수학 문제는 연습 문제를 풀면서 더욱 익숙해질 수 있습니다. 문제를 많이 풀어보면, 유형과 패턴을 더 쉽게 파악할 수 있습니다.
4. 문제 분해하기: 수학 문제가 복잡하고 길어 보일 때, 문제를 작은 단위로 분해해보세요. 이러한 방식으로 문제를 단순화하면, 풀이 방법을 쉽게 찾을 수 있습니다.
5. 그림 그리기: 수학 문제를 시각적으로 나타내는 것이 도움이 될 수 있습니다. 그림을 그려서 문제를 이해하고, 문제의 핵심 내용을 파악해보세요.
6. 스트레스 관리하기: 수학 문제를 푸는 것이 스트레스를 유발할 수 있습니다. 스트레스 관리 기술을 배우고, 일상적으로 적용하여 스트레스를 줄이세요.

 5번 그림을 그린다는 것을 실제 예시를 3가지 들어 설명해주세요.

ChatGPT 수학 문제를 푸는 과정에서 그림을 그리는 것은 유용한 전략 중 하나입니다. 그림을 그리면 수학적인 개념이나 문제를 시각적으로 이해하기 쉬워지기 때문입니다. 아래는 그림을 그리는 예시입니다.

1. 그래프 그리기: 수학 문제에서 함수의 그래프를 그리는 것은 매우 유용합니다. 예를 들어, y = x + 2의 그래프를 그리는 것은 x와 y값의 범위를 정하고, 그래프를 그려보면 됩니다. 이렇게 그림을 그리면 함수의 특성을 더욱 잘 이해할 수 있습니다.
2. 직각삼각형 그리기: 직각삼각형 문제에서, 문제에서 제공된 정보를 이용하여 직각삼각형을 그리면 풀이 방법을 더 쉽게 찾을 수 있습니다. 예를 들어, 한 쪽 빗변과 다른 두 변의 길이를 알 때, 직각삼각형을 그리고, 필요한 각도와 길이를 구할 수 있습니다.
3. 면적 그리기: 수학 문제에서 면적을 구하는 것은 매우 일반적입니다. 그림을 그리면 면적을 쉽게 구할 수 있습니다. 예를 들어, 직사각형 문제에서, 길이와 너비를 이용하여 직사각형을 그리고 면적을 계산해 볼 수 있습니다.

3편

챗GPT와 공부하기 (활용)

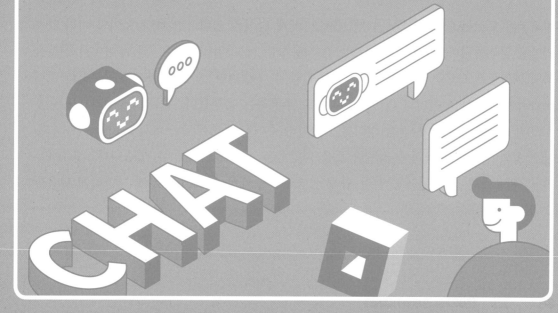

9장 챗GPT와 국어 공부

국어 공부를 할 때 가장 중요한 부분은 단어와 문장을 이해하고 사용하는 능력입니다. 이는 초등학생 시절부터 시작하여 대학생과 직장인에 이르기까지 중요한 역할을 합니다. 챗GPT를 활용한 국어 공부는 다음과 같은 방법이 있습니다.

- 국어 교과서에 나오는 단어를 쉽게 이해하고, 문장을 더욱 자연스럽게 구성할 수 있도록 도와줍니다.
- 글쓰기를 할 때는 챗GPT의 도움을 받아서 주제를 선정하고, 정보를 수집하며, 개요를 작성하고, 최종적으로 수정할 수도 있습니다.
- 긴 글을 읽을 때는 챗GPT가 요약을 해줌으로써 시간과 노력을 절약할 수 있습니다.

이러한 방법으로 챗GPT를 활용하면 국어 공부의 핵심인 듣기, 말하기, 읽기, 쓰기에서 더욱 능력을 발휘할 수 있습니다. 지금부터는 챗GPT를 활용하여 공부를 더 쉽고 효과적으로 할 수 있는 방법에 대해 구체적으로 알아보겠습니다.

1. 모르는 단어의 의미 찾기

여러분이 모르는 단어를 만났을 때, 챗GPT에게 단어를 입력하면 해당 단어의 여러 가지 의미를 알려줍니다. 예를 들어, "단어를 사용하는 예도 알려주세요."라고 이어서 질문을 하면 여러분은 모르는 단어의 뜻을 더 쉽게 알 수 있습니다. 국어 교과서를 공부하다 보면 교과서에 등장하는 단어의 의미를 이해하고 추론하는 문제들이 나옵니다. 여러분들은 챗GPT의 도움을 받아서 사전적 의미뿐만 아니라 주어진 문맥에서 단어의 의미를 유추하고, 사전 등의 자료를 활용하여 정확한 뜻을 파악하는 방법을 학습할 수 있습니다. 챗GPT는 속담, 관용표현, 고사성어도 알기 쉽게 설명해주기 때문에 국어 공부에 다양하게 활용할 수 있습니다.

하우쌤의
챗GPT 학습법 프롬프트 공식

- 국어사전에서 ___(단어)___ 의 뜻을 찾아주세요.
- ___(단어)___ 이라는 말을 ___(수준)___ 이 이해하기 쉽게 예를 들어 설명해주세요.
- _____(속담)_____ 라는 속담의 뜻은 무엇인가요?
- _____(고사성어)_____의 뜻을 예를 들어 설명해주세요.
- _____(글의 내용)_____,
  위 문장의 ___(단어)___ 의 문맥적 의미는 무엇인가요?

위의 프롬프트를 실제로 실습해보겠습니다. 국어사전에서 찾는 단어의 뜻을 챗GPT가 다음과 같이 찾아줄 수 있습니다.

─────────────── 예시 ───────────────

다음 프롬프트 공식에 따라 실제로 질문해보고 도움을 받아보겠습니다.

국어사전에서 ___(단어)___ 의 뜻을 찾아주세요.

 국어사전에서 '머리'의 뜻을 찾아주세요.

 국어사전에서 '머리'의 뜻은 다음과 같이 나와 있습니다.

ChatGPT

1. 사람이나 동물의 목 위쪽에 있는 부분.
2. 생각, 지식, 지혜 등이 모여 있는 부분.
3. 머리카락.

위와 같이 '머리'는 인체 부위의 일부분을 가리키는 명사로 사용되며, 인간의 지능과 관련된 의미에서도 사용됩니다. 또한, 머리카락을 가리키는 의미도 있습니다.

국어사전에서 찾은 단어의 뜻이 이해가 안 갈 때 '(초등학생/중학생/고등학생)이 이해할 수 있게'와 같은 말을 추가해서 챗GPT에 질문을 하면 챗GPT가 더 이해하기 쉽게 설명해 줄 수 있습니다.

─── 예시 ───

다음 프롬프트 공식에 따라 실제로 질문해보고 도움을 받아보겠습니다.

___(단어)___ 이라는 말을 ___(수준)___ 이 이해하기 쉽게 예를 들어 설명해주세요.

 '내구성'이라는 말을 초등학생이 이해하기 쉽게 예를 들어 설명해주세요.

 '내구성'은 어떤 물건이나 건축물 등이 오랜 시간 동안 사용되거나 존재할 수 있는 능력을 말합
ChatGPT 니다.
예를 들어, 우리가 사용하는 가방이 내구성이 있는지 생각해보면, 내구성이 있다면 오랫동안 사용해도 튼튼하게 사용할 수 있지만, 내구성이 없다면 금방 망가질 수 있습니다.
그렇다면 가방의 내구성을 높이기 위해서는 더 튼튼하고 내구성이 있는 재료로 만들거나, 세심한 관리를 하여 사용 시 수명을 연장할 수 있습니다.
따라서 내구성은 물건이나 건축물 등이 오랜 시간 동안 사용할 수 있는 능력을 말하며, 이를 유지하기 위해서는 적절한 관리와 사용이 필요합니다.

여러분이 이해가 가지 않는 속담이나 고사성어, 관용표현의 뜻도 이해하기 쉽게 설명해줍니다.

─── 예시 ───

다음 프롬프트 공식에 따라 실제로 질문해보고 도움을 받아보겠습니다.

_____(속담)_____ 라는 속담의 뜻은 무엇인가요?

👤 '우물을 파도 한 우물을 파라'라는 속담의 뜻은 무엇인가요?

🔵 '우물을 파도 한 우물을 파라'는 속담으로, '일을 시작하면 끝까지 해야 한다'는 뜻을 지니고 있습
ChatGPT 니다. 이 속담은 처음에 한 일에 만족하지 않고, 새로운 일을 찾아 떠나는 사람들에게 한탄의 의
미를 담고 있습니다. 즉, 새로운 일을 시작하기 전에 이미 시작한 일을 마무리하고 성공적으로
완수하는 것이 중요하다는 것을 강조하는 속담입니다. 따라서 이 속담은 행동에 대한 실천적인
조언으로 사용됩니다.

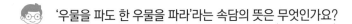

예시

다음 프롬프트 공식에 따라 실제로 질문해보고 도움을 받아보겠습니다.

고사성어 _____(고사성어)_____의 뜻을 예를 들어 설명해주세요.

👤 고사성어 '고진감래'의 뜻을 예를 들어 설명해주세요.

🔵 '고진감래(苦盡甘來)'는 한자 그대로 '고난과 괴로움을 다 견디고 나서야 즐거움과 기쁨이 온다'
ChatGPT 는 뜻을 가진 고사성어입니다.
예를 들어, 시험 기간 동안 열심히 공부하고 모든 어려움과 고난을 견디다 보면, 시험을 잘 보고
좋은 결과를 얻을 수 있습니다. 이때 '고진감래'라는 말을 사용하면, 시험에서 좋은 결과를 얻음
으로써 고난과 괴로움을 견디는 보람을 느끼고, 즐거움과 기쁨을 더욱 느낄 수 있다는 것을 나
타냅니다.
따라서 '고진감래'는 어려움과 고난을 견디는 끝에 즐거움과 기쁨이 온다는 것을 나타내며, 삶에
서 어려움을 겪을 때 이를 극복하고, 더 큰 즐거움과 기쁨을 얻을 수 있다는 희망과 위로를 주는
말입니다.

여러분이 책을 읽으며 이해가 가지 않는 단어가 있다면, 그 단어를 포함한 문장을 쓰고,
그 단어의 문맥적 의미를 챗GPT에 물어볼 수 있습니다.

예시

다음 프롬프트 공식에 따라 실제로 질문해보고 도움을 받아보겠습니다.

_____(글의 내용)_____
위 문장의 __(단어)__ 의 문맥적 의미는 무엇인가요?

> 태종에게 미치지도 못하는 후세의 군주가 자기 시대의 역사를 보고자 한다면, 아첨하는 신하가 어찌 방현령처럼 사실을 숨기고 피하는 것에 그치겠습니까?
>
> 위 문장의 '미치지도'의 문맥적 의미는 무엇인가요?

> **ChatGPT** 위 문장에서 '미치지도 못하는'은 '태종에게 미치지도 못하는 후세의 군주'라는 주어를 설명하는 형용사구입니다. 이 표현은 '태종에게 도달하지 못하는' 또는 '태종의 수준에 미치지 못하는'이라는 의미를 갖습니다. 즉, 후세의 군주가 태종과 비교해 '역사적인 위상이나 지위에서 그를 따라잡을 수 없다'는 뜻입니다.

2. 챗GPT와 글쓰기

여러분은 수업 시간 또는 각종 과제를 할 때 다양한 글을 쓰지만 글을 쓰는 일은 매번 시간이 오래 걸리고 좋은 글을 쓰려면 많은 정보를 미리 읽고 공부해야 합니다. 이렇게 글을 쓰고 싶은데 아이디어가 떠오르지 않을 때, 챗GPT에 질문하면, 다양한 주제와 아이디어를 생각하는 데 도움을 받을 수 있습니다. 챗GPT를 활용하면 글을 논리적으로 쓰고, 말을 조리 있게 하는 방법을 배울 수 있습니다. 글쓰기를 할 때 챗GPT에게 도움을 받을 수 있는 네 단계는 '주제 선정하기', '글쓰기 정보 수집하기', '글의 개요 작성하기', '작성한 글자 수정하기'입니다.

'우물을 파도 한 우물을 파라'라는 속담의 뜻은 무엇인가요?

ChatGPT
'우물을 파도 한 우물을 파라'는 속담으로, '일을 시작하면 끝까지 해야 한다'는 뜻을 지니고 있습니다. 이 속담은 처음에 한 일에 만족하지 않고, 새로운 일을 찾아 떠나는 사람들에게 한탄의 의미를 담고 있습니다. 즉, 새로운 일을 시작하기 전에 이미 시작한 일을 마무리하고 성공적으로 완수하는 것이 중요하다는 것을 강조하는 속담입니다. 따라서 이 속담은 행동에 대한 실천적인 조언으로 사용됩니다.

───────────────────────(예시)───────────────────────

다음 프롬프트 공식에 따라 실제로 질문해보고 도움을 받아보겠습니다.

고사성어 _____(고사성어)_____의 뜻을 예를 들어 설명해주세요.

고사성어 '고진감래'의 뜻을 예를 들어 설명해주세요.

ChatGPT
'고진감래(苦盡甘來)'는 한자 그대로 '고난과 괴로움을 다 견디고 나서야 즐거움과 기쁨이 온다'는 뜻을 가진 고사성어입니다.
예를 들어, 시험 기간 동안 열심히 공부하고 모든 어려움과 고난을 견디다 보면, 시험을 잘 보고 좋은 결과를 얻을 수 있습니다. 이때 '고진감래'라는 말을 사용하면, 시험에서 좋은 결과를 얻음으로써 고난과 괴로움을 견디는 보람을 느끼고, 즐거움과 기쁨을 더욱 느낄 수 있다는 것을 나타냅니다.
따라서 '고진감래'는 어려움과 고난을 견디는 끝에 즐거움과 기쁨이 온다는 것을 나타내며, 삶에서 어려움을 겪을 때 이를 극복하고, 더 큰 즐거움과 기쁨을 얻을 수 있다는 희망과 위로를 주는 말입니다.

여러분이 책을 읽으며 이해가 가지 않는 단어가 있다면, 그 단어를 포함한 문장을 쓰고, 그 단어의 문맥적 의미를 챗GPT에 물어볼 수 있습니다.

예시

다음 프롬프트 공식에 따라 실제로 질문해보고 도움을 받아보겠습니다.

_____(글의 내용)_____

위 문장의 ___(단어)___ 의 문맥적 의미는 무엇인가요?

태종에게 미치지도 못하는 후세의 군주가 자기 시대의 역사를 보고자 한다면, 아첨하는 신하가 어찌 방현령처럼 사실을 숨기고 피하는 것에 그치겠습니까?

위 문장의 '미치지도'의 문맥적 의미는 무엇인가요?

ChatGPT
위 문장에서 '미치지도 못하는'은 '태종에게 미치지도 못하는 후세의 군주'라는 주어를 설명하는 형용사구입니다. 이 표현은 '태종에게 도달하지 못하는' 또는 '태종의 수준에 미치지 못하는'이라는 의미를 갖습니다. 즉, 후세의 군주가 태종과 비교해 '역사적인 위상이나 지위에서 그를 따라잡을 수 없다'는 뜻입니다.

2. 챗GPT와 글쓰기

여러분은 수업 시간 또는 각종 과제를 할 때 다양한 글을 쓰지만 글을 쓰는 일은 매번 시간이 오래 걸리고 좋은 글을 쓰려면 많은 정보를 미리 읽고 공부해야 합니다. 이렇게 글을 쓰고 싶은데 아이디어가 떠오르지 않을 때, 챗GPT에 질문하면, 다양한 주제와 아이디어를 생각하는 데 도움을 받을 수 있습니다. 챗GPT를 활용하면 글을 논리적으로 쓰고, 말을 조리 있게 하는 방법을 배울 수 있습니다. 글쓰기를 할 때 챗GPT에게 도움을 받을 수 있는 네 단계는 '주제 선정하기', '글쓰기 정보 수집하기', '글의 개요 작성하기', '작성한 글자 수정하기'입니다.

(1) 주제 선정하기

챗GPT는 다양한 주제에 대한 정보를 수집하고, 여러분에게 적절한 주제를 추천해줄 수 있습니다. 여러분은 '인상 깊은 책, 주변 사람들, 공부 방법과 관련된 이야기, 환경 문제와 관련한 이야기, 미래에 대한 이야기, 여행에 대한 이야기, 사회 이슈에 대한 이야기 등'을 챗GPT에게 물어볼 수 있습니다. 그렇게 챗GPT와 대화를 나누다 보면 여러분이 원하는 주제와 관련된 정보와 아이디어를 빠르게 수집할 수 있어, 글쓰기를 보다 효과적으로 시작할 수 있습니다. 특히 챗GPT의 마인드맵 기능을 활용하면 글쓰기 정보를 수집하고 글을 쓰는데 큰 도움을 받을 수 있습니다.

> **하우쌤의**
> **챗GPT 학습법 프롬프트 공식**
>
> - ____(글쓰기 목적)____ 하는 글쓰기를 하려고 합니다. ____(주제)____ 을(를) 다루는 글의 주제를 추천해주세요.
> - ____(주제)____, 마인드맵을 만들어주세요.
>   (중심 아이디어, 주요 아이디어, 서브 아이디어를 리스트 형식으로)

'글쓰기 목적', '주제'를 정해서 위와 같이 프롬프트를 작성하면 글의 주제에 관한 아이디어를 만들어줍니다. 평소에 생각하고 있던 주제와 비교해보면서 자신이 쓰고 싶은 글의 주제를 선택할 수 있습니다.

다음 프롬프트 공식에 따라 실제로 질문해보고 도움을 받아보겠습니다.

> ____(글쓰기 목적)____ 하는 글쓰기를 하려고 합니다. ____(주제)____ 을(를) 다루는 글의 주제를 추천해주세요.

 친구들에게 정보를 전달하는 글쓰기를 하려고 합니다. 환경 문제를 다루는 글의 주제를 추천해주세요. (10가지, 리스트 형식)

ChatGPT
다음은 환경 문제를 다루는 글의 주제를 10가지 리스트 형식으로 추천해드립니다.

1. 일회용품 사용과 환경 문제
2. 기후 변화와 온실 가스 배출
3. 대기오염과 사람의 건강
4. 쓰레기 문제와 재활용의 중요성
5. 생태계 파괴와 생물 다양성 보호
6. 자원 고갈과 친환경적 에너지
7. 불법 쓰레기 처리와 환경오염
8. 도시 계획과 친환경적 건축
9. 급격한 도시화와 자연 보호
10. 인간의 생활 방식과 지속 가능한 발전

위와 같은 주제들은 친구들에게 환경 문제에 대한 인식을 높이고, 그에 대한 책임감을 더욱 높일 수 있는 좋은 시작점이 될 수 있습니다.

수준, 목적, 주제를 정해주면 '중심 아이디어 – 주요 아이디어 – 서브 아이디어'를 구조화해서 마인드맵을 만들 수도 있습니다.

─────────────── 예시 ───────────────

다음 프롬프트 공식에 따라 실제로 질문해보고 도움을 받아보겠습니다.

_____(주제)_____, 마인드맵을 만들어주세요.
(중심 아이디어, 주요 아이디어, 서브 아이디어를 리스트 형식으로)

수준 : 고등학생

목적 : 글쓰기

지난 여름 방학에 있었던 일, 마인드맵을 만들어주세요.

(중심 아이디어, 주요 아이디어, 서브 아이디어를 리스트 형식으로)

ChatGPT

중심 아이디어: 여름 방학

주요 아이디어:
- 여름 방학 계획
- 여름 휴가 여행
- 여름 독서
- 여름 수영
- 여름 취미 생활

서브 아이디어:
- 여름 방학 계획
- 공부 계획 세우기
- 과외 받기
- 자격증 공부
- 여름 휴가 여행
- 해외 여행
- 국내 여행
- 가족 여행
- 여름 독서
- 소설 읽기
- 자기계발서 읽기
- 에세이 읽기
- 여름 수영
- 수영 배우기
- 수영 대회 참가
- 수영장 놀이
- 여름 취미 생활
- DIY 작업
- 노래 부르기
- 그림 그리기

(2) 글쓰기 정보 수집하기

챗GPT는 여러분이 원하는 주제에 대한 정보를 제공해줄 수 있습니다. 예를 들어, 인터넷 검색엔진에서 키워드를 검색하여 관련 정보를 수집하거나, 빅데이터 분석을 통해 사용자의 선호도나 관심사에 맞는 정보를 추천해줄 수 있습니다. 또한 주장하는 글쓰기를 준비할 때 필요한 여러 가지 근거들도 수집해줄 수 있습니다.

하우쌤의
챗GPT 학습법 프롬프트 공식

_____(주장)_____, _____(근거)_____.
위의 주장과 근거로 글을 쓰려고 할 때, 근거를 뒷받침하는 자료는 어떤 것들이 있나요?

다음과 같이 주장과 근거를 정해서 프롬프트를 작성하고 실습해봅시다. 이때 챗GPT의 답변에서 일부 출처나 정보가 부정확하거나 오류가 있을 수도 있기 때문에 해당 자료의 출처가 정확한지 꼭 다시 한번 확인해야 합니다. 혹시 정보가 잘못되었다면 "이 부분은 오류가 있어. 사실은 이렇게 수정되어야 해"라고 지적해서 수정할 수도 있습니다.

〰〰〰〰〰〰〰〰 예시 〰〰〰〰〰〰〰〰

다음 프롬프트 공식에 따라 실제로 질문해보고 도움을 받아보겠습니다.

_____(주장)_____, _____(근거)_____.
위의 주장과 근거로 글을 쓰려고 할 때, 근거를 뒷받침하는 자료는 어떤 것들이 있나요?

주장 : 바르게 스마트폰을 사용하는 생활 습관을 기르자

근거 : 친구들과의 소통을 단절한다.

위의 주장과 근거로 글을 쓰려고 할 때, 근거를 뒷받침하는 자료는 어떤 것들이 있나요? (중학생 수준)

ChatGPT

주장: 바르게 스마트폰을 사용하는 생활 습관을 기르자

근거: 친구들과의 소통을 단절한다.

스마트폰은 현대 사회에서 우리의 일상생활에 깊은 영향을 미치고 있습니다. 그러나 스마트폰 사용이 과도해지면 친구들과의 소통을 단절시킬 수 있다는 주장이 있습니다. 이 주장을 뒷받침 하기 위해 중학생 수준에서 이해하기 쉬운 몇 가지 자료를 살펴보겠습니다.

1. 연구 결과: 스마트폰 사용과 사회적 연결성 감소

- 많은 연구가 스마트폰 사용과 사회적 연결성 사이의 관계를 조사하고 있습니다. 예를 들어, 한 연구에서는 스마트폰 사용이 증가함에 따라 실제 대면 소통의 양이 감소하는 경향을 발견했습니다. 이는 스마트폰 사용이 사회적 상호작용을 대체하거나 제한하는 요인이 될 수 있다는 것을 시사합니다.

2. 사례 연구: 스마트폰 중독과 사회적 고립

- 스마트폰 중독은 점점 더 많은 사람에게 문제가 되고 있습니다. 스마트폰 중독에 시달리는 사람들은 종종 현실 세계와의 소통을 저해하고 사회적 고립에 이르게 됩니다. 이는 스마트 폰 사용이 친구들과의 관계를 약화시키고 소통을 단절시킬 수 있다는 사례로 이해할 수 있습니다.

3. 개인 경험 공유: 스마트폰 사용과 친구 관계의 변화

- 직접적인 경험을 통해 스마트폰 사용과 친구들과의 소통 간의 관계를 이해할 수도 있습니다. 동료나 친구들과 인터뷰를 통해 스마트폰 사용이 증가함에 따라 실제 대면 소통이 줄어들었다는 경험을 공유할 수 있습니다. 이런 경험들은 스마트폰 사용이 친구들과의 소통을 방해할 수 있다는 것을 보여줄 수 있습니다.

4. 교육 자료: 스마트폰 사용에 대한 가이드라인

- 많은 교육 기관과 단체에서 스마트폰 사용에 대한 가이드라인을 제공하고 있습니다. 이러한 가이드라인은 학생들에게 적절한 스마트폰 사용법을 가르침으로써 친구들과의 소통을 유지하고 사회적 연결성을 강화하는 방법을 안내합니다. 이러한 가이드라인은 중학생 수준에서도 이해하기 쉽게 작성되어 있으며, 스마트폰 사용에 대한 올바른 인식을 도와줍니다.

> **ChatGPT** 이러한 자료들은 스마트폰 사용이 친구들과의 소통을 단절시킬 수 있다는 주장을 뒷받침하기 위한 중학생 수준의 근거로 활용될 수 있습니다. 주장과 근거를 조합하여 글을 쓰면서 이러한 자료들을 참고하면 중학생 수준에서도 주장을 설득력 있게 전달할 수 있을 것입니다.

(3) 글의 개요 작성하기

챗GPT는 글의 개요 작성에도 도움을 줄 수 있습니다. 예를 들어, 사용자가 작성하려는 글의 목적이나 내용을 요약하여 개요로 만들어주거나, 글의 구성과 내용을 검토하여 보완해 줄 수 있습니다.

하우쌤의
챗GPT 학습법 프롬프트 공식

- _____(주제)_____ 라는 주제로 주장하는 글을 쓰려고 합니다. 이 글의 개요도를 표 형식으로 작성해주세요.
- _____(정보)_____ 에 대해 _____(독자)_____ 에게 정보를 전달하는 글을 쓰려고 합니다. 이 글의 개요도를 리스트 형식으로 작성해주세요.
- _____(받는 사람)_____ 에게 _____(목적)_____ 하기 위한 (편지/이메일)을 쓰려고 합니다. 이 글의 개요도를 리스트 형식으로 작성해주세요.
- 대학교의 _____(학과명)_____ 학과에 입학하기 위해 지원서류로 '자기소개서'를 쓰려고 합니다. _____(키워드 들)_____ 을(를) 키워드로 하는, 이 글의 개요도를 리스트 형식으로 작성해주세요.

다음처럼 4가지 예로 실습해보겠습니다. 주제, 정보, 독자, 받는 사람, 목적, 키워드를 직접 바꾸어 가며 실습해보세요.

예시

다음 프롬프트 공식에 따라 실제로 질문해보고 도움을 받아보겠습니다.

_____(주제)_____ 라는 주제로 주장하는 글을 쓰려고 합니다. 이 글의 개요도를 표 형식으로 작성해주세요.

'일회용품 사용을 줄이자'라는 주제로 주장하는 글을 쓰려고 합니다.

이 글의 개요도를 표 형식으로 작성해주세요.

ChatGPT 다음은 '일회용품 사용을 줄이자'라는 주제로 주장하는 글의 개요도를 표 형식으로 작성한 것입니다.

구분	내용
소개	일회용품 사용 문제의 중요성 소개
배경	일회용품 사용이 어떻게 우리의 환경과 건강에 영향을 미치는지 설명
문제점	일회용품 사용으로 인한 문제점들에 대한 예시 제시
대안 제시	일회용품 사용을 줄일 수 있는 대안 제시
긍정적 효과	일회용품 사용을 줄임으로써 얻을 수 있는 긍정적인 효과 설명
결론	일회용품 사용을 줄이는 것의 중요성 강조 및 다른 사람들에게 영향을 미치는 방법 제안

위와 같은 개요도를 활용하여, 일회용품 사용을 줄이는 것의 중요성과 대안, 그리고 이를 통해 얻을 수 있는 긍정적인 효과를 강조하는 글을 작성할 수 있습니다.

예시

다음 프롬프트 공식에 따라 실제로 질문해보고 도움을 받아보겠습니다.

_____(정보)_____ 에 대해 _____(독자)_____에게 정보를 전달하는 글을 쓰려고 합니다. 이 글의 개요도를 리스트 형식으로 작성해주세요.

 경주의 첨성대에 대해 해외의 독자에게 정보를 전달하는 글을 쓰려고 합니다. 이 글의 개요도를 리스트 형식으로 작성해주세요. (고등학생 수준)

 개요 도식화:

ChatGPT

I. 서론
 – 배경 정보 및 목적 설명

II. 첨성대에 대한 개요
 – 첨성대가 위치한 장소 및 역사적 배경
 – 건축 및 구조적 특징
 – 첨성대의 역사적인 중요성

III. 첨성대 탐방
 – 입장료 및 운영 시간 정보
 – 관람 경로 설명
 – 주요 관람 포인트 소개

IV. 첨성대 관련 이야기
 – 첨성대와 관련된 전설 및 이야기 소개
 – 첨성대를 배경으로 한 문학작품 등 소개

V. 결론
 – 첨성대의 역사적, 문화적 가치 및 중요성 강조
 – 독자들에게 첨성대를 방문하도록 권장

VI. 참고문헌
 – 참고한 문헌 및 자료 출처 리스트

다음 프롬프트 공식에 따라 실제로 질문해보고 도움을 받아보겠습니다.

_____(받는 사람)_____ 에게 _____(목적)_____ 하기 위한 (편지/이메일)을 쓰려고 합니다. 이 글의 개요도를 리스트 형식으로 작성해주세요.

수학 선생님에게 수학 문제를 질문하기 위한 이메일을 쓰려고 합니다. 이 글의 개요도를 리스트 형식으로 작성해주세요. (중학생 수준)

ChatGPT

이메일 개요 예시:
1. 인사: 수학 선생님에게 문의드리는 학생의 이름 및 학년 소개
2. 문제 소개: 어떤 유형의 수학 문제를 질문할 것인지 간단히 설명
3. 문제 내용: 구체적으로 어떤 문제에 대해 도움이 필요한지 자세히 서술
4. 수행 과정: 이미 시도한 해결 방법이 있다면 어떤 접근법을 시도했는지 알려주기
5. 부탁 및 마무리: 선생님께 도움을 요청하고 감사의 마음을 표현
6. 연락처: 선생님께서 답변하실 때 연락을 받을 방법 제공(이메일 주소, 전화번호 등)

다음 프롬프트 공식에 따라 실제로 질문해보고 도움을 받아보겠습니다.

대학교의 _____(학과명)_____ 학과에 입학하기 위해 지원서류로 '자기소개서'를 쓰려고 합니다. _____(키워드들)_____ 을(를) 키워드로 하는, 이 글의 개요도를 리스트 형식으로 작성해주세요.

대학교의 컴퓨터 공학과에 입학하기 위해 지원서류로 '자기소개서'를 쓰려고 합니다. 인공지능을 키워드로 하는, 이 글의 개요도를 리스트 형식으로 작성해주세요. (고등학생 수준)

ChatGPT

자기소개서 개요(인공지능을 키워드로 함)

1. 인공지능에 대한 흥미와 열정 소개: 인공지능에 대해 듣고 배우며 흥미를 느꼈고, 이를 통해 미래의 기술과 사회에 큰 영향을 줄 수 있다는 것을 알게 되었다.

ChatGPT

2. 관련 경험과 프로젝트 소개: 고등학교 동아리나 개인적인 프로젝트 등을 통해 인공지능과 관련된 경험을 쌓았다. 예를 들어, Python을 사용하여 간단한 챗봇을 만들어보았거나, 이미지 분류 모델을 구현해보았다.

3. 수학과 과학에 대한 관심과 능력: 인공지능은 수학과 과학적 원리에 기반한 기술이기 때문에, 수학과 과학에 대한 관심과 능력을 소개한다. 예를 들어, 수학 과목에서 좋은 성적을 받았거나, 과학적 사고와 문제 해결 능력을 갖추었다고 언급할 수 있다.

4. 창의성과 문제 해결 능력 소개: 인공지능 분야에서는 새로운 문제에 대한 창의적인 접근과 해결 능력이 중요하다. 자신이 어떻게 창의적인 문제 해결 방법을 생각하고 구현해냈는지를 간단한 예시와 함께 언급한다.

5. 학습 능력과 지속적인 성장 의지 소개: 인공지능은 빠르게 변화하는 기술 분야이므로, 학습 능력과 지속적인 성장 의지가 필요하다. 자신이 어떻게 새로운 기술과 트렌드를 학습하고 습득하는지에 대해 언급한다.

6. 대학에서 얻고 싶은 목표와 꿈 소개: 대학에서는 인공지능 분야에서 전문적인 지식과 기술을 습득하고, 현실 세계에 유용한 솔루션을 제공하는 인공지능 엔지니어로 성장하고 싶다는 목표와 꿈을 소개한다.

7. 학과에 지원한 이유와 기대 소개: 지원하는 대학의 컴퓨터 공학과가 인공지능 분야에 특화된 교육과 연구 환경을 제공한다는 점을 언급하고, 자신이 학과에서 어떤 교육과 경험을 얻고 싶은지, 어떤 분야에 관심이 있는지를 소개한다.

8. 미래의 비전과 기여 소개: 인공지능 분야에서 미래에 기여하고 싶은 바와 비전을 소개한다. 예를 들어, 인공지능을 활용하여 의료 분야에서 진단 정확도를 높이는 기술을 개발하고 싶다는 등의 비전을 언급할 수 있다.

9. 강점과 약점 소개: 자신의 강점과 약점을 솔직하게 언급하고, 약점을 극복하기 위해 어떤 노력을 하고 있는지를 설명한다. 예를 들어, 문제 해결 능력이 강점이지만, 커뮤니케이션 스킬을 향상시키기 위해 동아리 활동을 통해 발전시키고 있다고 언급할 수 있다.

10. 결론: 자기소개서를 마무리하면서, 인공지능 분야에 입학하여 자신의 역량을 발휘하고 꿈을 이루기 위해 노력할 것임을 다짐하고, 입학 위원회에 감사의 마음을 전한다.

(4) 작성한 글 수정하기

챗GPT는 여러분이 쓴 글을 자동으로 검토하여, 문법과 맞춤법, 문장 구조 등을 자연스럽게 수정해줄 수 있습니다.

하우쌤의
챗GPT 학습법 프롬프트 공식

- _____(작성한 글)_____, 윗글에서 문법적으로 수정이 필요한 부분을 알려주세요.
- _____(작성한 글)_____, 윗글에서 의미가 이상한 부분이 있는지 알려주세요.
- _____(작성한 글)_____, 윗글에서 중복되거나 불필요한 내용이 있는지 알려주세요.
- _____(작성한 글)_____, 윗글에서 사용한 언어나 표현이 일관성 있게 사용되었는지 확인해주세요.
- _____(작성한 글)_____, 윗글에서 논리적으로 맞지 않는 부분이 있는지 확인해주세요.
- _____(작성한 글)_____, 윗글에서 근거가 주장을 뒷받침하는지 확인해주세요.
- _____(작성한 글)_____, 윗글에서 자료가 내용을 뒷받침하는지 확인해주세요.

여러분은 위와 같은 질문을 활용하여, 챗GPT에게 작성한 글을 분석하도록 요청하여 수정할 필요가 있는 부분을 찾아내고, 일관성 있는 표현으로 문장을 수정할 수 있습니다.

다음 프롬프트 공식에 따라 실제로 질문해보고 도움을 받아보겠습니다.

> _____(작성한 글)_____
> 작성한 글에서 문법적으로 수정이 필요한 부분, 의미가 이상한 부분, 논리적으로 맞지 않는 부분을 확인해주세요. (표 형식)

글 : 동물원에서 동물 복지는 매우 중요한 문제입니다. 동물원에서는 수많은 동물이 함께 살아가는데, 그들이 자연에서 느낄 수 있는 행복하고 자유로운 삶을 살지 못하기 때문입니다. 하지만 동물원도 필요하기는 합니다. 이를 위해서는 동물들의 건강 상태와 복지를 고려하여 적절한 사육지와 환경을 조성해야 합니다. 또한, 동물들이 적절한 영양을 공급받고, 자연스러운 행동을 할 수 있는 환경을 제공해야 하기 때문입니다. 동물원에서는 무리를 형성할 수 있는 충분한 운동장을 마련하여 동물들이 서로 교감을 할 수 있도록 해야 합니다. 이러한 노력이 동물원에서 동물 복지를 향상시키는 데에 큰 도움이 되었을 것입니다.

작성한 글에서 문법적으로 수정이 필요한 부분, 의미가 이상한 부분, 논리적으로 맞지 않는 부분을 확인해주세요. (표 형식)

수정 대상	수정 내용
하지만 동물원도 필요하기는 합니다.	이 문장은 앞뒤 문장과 논리적으로 이어지지 않습니다. 삭제하거나 수정이 필요합니다.
또한, 동물들이 적절한 영양을 공급받고, 자연스러운 행동을 할 수 있는 환경을 제공해야 하기 때문입니다.	이 문장은 문법적으로 맞지만, 앞서 언급한 내용과 중복됩니다. 내용을 축약하거나 다른 내용으로 대체하는 것이 좋습니다.
동물원에서는 무리를 형성할 수 있는 충분한 운동장을 마련하여 동물들이 서로 교감을 할 수 있도록 해야 합니다.	서로 교감을 할 수 있도록 해야 한다'와 같이 구체적인 방법이나 근거를 제시해주는 것이 더 좋습니다.
이러한 노력이 동물원에서 동물 복지를 향상시키는 데에 큰 도움이 되었을 것입니다.	이 문장은 논리적으로 맞지 않습니다. 앞서 제시된 내용과는 다른 방향으로 이어지기 때문입니다. 수정이 필요합니다.

ChatGPT

3. 챗GPT로 글 요약하기

여러분은 공부하거나 기사를 읽을 때 글이 너무 길어서 읽지 않고 넘기는 경우가 많을 겁니다. 그리고 긴 글을 읽다 보면 내용을 이해하기 어려울 때가 있습니다. 챗GPT에게 글을 입력하면 해당 글을 간략하게 요약해 줍니다. 이렇게 하면 여러분은 긴 글을 읽을 때 들였던 시간을 절약하고, 요약한 글과 비교하면서 요약하는 방법을 배울 수도 있습니다.

하우쌤의
챗GPT 학습법 프롬프트 공식

- _____ (요약하려는 글)_____,
  위 내용을 간략하게 요약해주세요. (100자 이하, 리스트 형식)
- _____ (요약하려는 글)_____,
  위 신문기사를 __(수준)__이 이해하기 쉽게 간략하게 요약해주세요.
- _____ (요약하려는 글)_____,
  위 내용을 키워드로 요약해서 3일 동안 암기하고 공부하려 합니다. 일일 계획표를 세워주세요.

챗GPT와 함께 글 요약을 해보겠습니다. 먼저 여러분이 요약하고 싶은 글을 키보드로 입력하거나 복사해서 붙여 넣습니다. 그리고 프롬프트를 완성하면 조건에 맞는 요약문을 얻을 수 있습니다. 이를 통해 글의 핵심 내용을 파악하고 글쓰기와 독해 능력을 향상할 수 있고, 키워드를 기반으로 한 효율적인 암기법을 배울 수 있습니다.

───────────────── 예시 ─────────────────

다음 프롬프트 공식에 따라 실제로 질문해보고 도움을 받아보겠습니다.

> _____(요약하려는 글)_____.
> 위 내용을 간략하게 요약해주세요. (100자 이하, 리스트 형식)

 만유인력의 법칙이라는 것은 물체들 사이에 작용하는 힘을 설명하는 물리학의 기본 원리입니다. 이건 아이작 뉴턴이 발견했는데요, 그래서 종종 '뉴턴의 만유인력의 법칙'이라고도 불립니다.

이 법칙은 크게 두 가지 주요 내용을 담고 있습니다:

첫째, 모든 물체는 다른 모든 물체를 향해 인력(서로 끌어당기는 힘)을 가합니다. 이 인력은 물체의 질량이 클수록, 그리고 물체 사이의 거리가 가까울수록 커집니다. 즉, 아주 큰 물체(예를 들어, 지구나 태양)는 그 주변의 물체를 강하게 끌어당기고, 아주 작은 물체는 덜 끌어당깁니다. 또한, 물체가 멀리 떨어져 있을수록 그 인력은 약해집니다.

이 만유인력의 법칙을 수식으로 표현하면 $F = G * (m1 * m2) / d^2$입니다. 여기서 F는 물체 사이의 인력, m1과 m2는 물체의 질량, d는 물체 사이의 거리, 그리고 G는 만유인력 상수라는 특정한 숫자입니다.

예를 들어, 당신이 지구 위에서 떨어뜨린 사과는 지구 중심으로 떨어집니다. 그 이유는 지구의 질량이 크기 때문에 사과를 강력하게 끌어당기는 만유인력 때문입니다.

위 내용을 간략하게 요약해주세요. (100자 이하, 리스트 형식)

ChatGPT
　－ 만유인력의 법칙은 물체 사이에 작용하는 힘을 설명하는 기본 원리입니다.
　－ 모든 물체는 서로를 인력으로 끌어당깁니다.
　－ 인력은 물체의 질량에 비례하고, 거리의 제곱에 반비례합니다.
　－ 수식으로는 $F = G * (m1 * m2) / d^2$로 표현됩니다.
　－ 물체의 질량이 크고 거리가 가까울수록 인력이 강해집니다.

예시

다음 프롬프트 공식에 따라 실제로 질문해보고 도움을 받아보겠습니다.

_____(요약하려는 글)_____,
위 신문기사를 __(수준)__이 이해하기 쉽게 간략하게 요약해주세요.

태아의 손가락 끝에서부터 시작해 만들어지는 지문을 이루는 선을 '융선'이라고 합니다. 융선은 엄마의 복부에서부터 형성되어 1차 융선이 전체적으로 생성된 후, 빈틈을 메우는 2차 융선이 생겨 지문이 완성됩니다. 연구팀은 쥐와 인간 배아세포의 발달 과정을 관찰하여, WNT 단백질, EDAR 단백질, 그리고 BMP 단백질이 지문 형성에 중요한 역할을 한다는 것을 발견했습니다. 이들 단백질은 융선 사이의 간격을 조절하고, 융선의 질감을 결정하는 데 영향을 줍니다. 이러한 단백질들이 상호작용하면서, 튜링 패턴과 같이 무작위적인 형태로 지문이 생성됩니다. 연구팀은 컴퓨터 모델을 이용하여 손가락 끝마디 중앙, 손톱 밑, 끝마디 주름 세 가지 융선 시작 부위에서의 지문 형태를 연구하였고, 일반적인 지문 형태와 함께 드물게 나타나는 다양한 지문 형태가 있음을 발견하였습니다. 전 세계적으로, 고리형 지문이 가장 많이 나타나며 소용돌이형과 아치형 지문이 각각 20~30%, 5%의 비중을 차지합니다.

위 신문기사를 중학생이 이해하기 쉽게 간략하게 요약해주세요. (리스트 형식)

ChatGPT

- 태아의 손가락 끝에서부터 시작해 만들어지는 지문을 이루는 선을 '융선'이라고 함
- 연구팀이 쥐와 인간 배아세포의 발달 과정을 관찰하여 지문 형성에 중요한 단백질들을 발견함
- 이 단백질들은 융선 사이의 간격을 조절하고, 융선의 질감을 결정하는 데 영향을 줌
- 단백질들이 상호작용하면서, 지문이 튜링 패턴과 같이 무작위적인 형태로 생성됨
- 연구팀은 손가락 끝마디 중앙, 손톱 밑, 끝마디 주름 세 가지 융선 시작 부위에서의 지문 형태를 연구함
- 일반적인 고리형 지문이 가장 많이 나타나며, 소용돌이형과 아치형 지문도 있음
- 전 세계적으로, 고리형 지문이 가장 많이 나타나며, 소용돌이형과 아치형 지문이 각각 20~30%, 5%의 비중을 차지함.

다음 프롬프트 공식에 따라 실제로 질문해보고 도움을 받아보겠습니다.

> _____(요약하려는 글)_____,
> 위 내용을 키워드로 요약해서 3일 동안 암기하고 공부하려 합니다. 일일 계획표를 세워주세요.

주장하는 글을 쓰는 방법은 논리적인 사고와 효과적인 표현력이 필요합니다. 먼저, 주장의 내용을 명확하게 이해하고, 그에 대한 근거를 수집하는 것이 중요합니다. 이후, 논거의 구조를 계획하고, 예비 작성을 통해 더욱 정확하고 효과적인 주장을 만들어낼 수 있습니다. 주장을 할 때는, 첫 문장에서 주장의 내용을 분명하게 밝히는 것이 좋습니다. 이후, 다음 문장에서는 그에 대한 이유와 근거를 제시해야 합니다. 이때 근거를 통해 주장의 타당성과 신뢰성을 높이는 것이 중요합니다. 주장의 논리 구조는 일반적으로 전제, 중심 주장, 그리고 그에 대한 근거로 이루어집니다. 이 구조를 사용하면, 논리적으로 일관성 있는 주장을 만들어낼 수 있으며, 듣는 이들에게 명확하게 전달할 수 있습니다. 주장을 할 때는, 자신의 의견을 강조하는 것보다 청중의 관심과 필요에 초점을 맞추는 것이 중요합니다. 또한, 언어와 문법을 올바르게 사용하여, 더욱 효과적인 주장을 만들어낼 수 있습니다. 마지막으로, 주장에 대한 반론이나 이의가 있다면, 이에 대해 준비해야 합니다. 반론을 예측하여 그에 대한 대처 방안을 생각해놓으면, 좀 더 효과적인 주장을 할 수 있습니다. 주장하는 글을 쓰는 방법은, 논리적 사고와 효과적인 표현력, 그리고 청중의 관심과 필요에 초점을 맞추는 것이 중요합니다. 주장의 내용을 명확하게 밝히고, 근거를 충분히 제시하며, 논리적인 구조를 사용하여 청중에게 명확하게 전달하는 것이 주장하는 글을 쓰는 핵심입니다.

위의 내용은 중학교 국어 교과서 내용입니다. 위의 내용을 키워드로 요약해서 3일 동안 암기하고 공부하려 합니다. 일일 계획표를 세워주세요.

ChatGPT

일일 계획표를 세울 때, 매일 주어진 키워드를 반복해서 읽고 암기하며, 관련된 예시나 문제를 풀어보는 것이 도움이 될 수 있습니다. 아래는 3일 동안의 일일 계획표 예시입니다:

일일 계획표: 주장하는 글 쓰는 방법

1일 차: 이해와 근거 수집
– 키워드 읽기: 주장, 명확, 이해, 근거
– 주제 이해하기: 주장하는 글을 쓰는 방법의 중요성과 요소들에 대한 개관 파악

ChatGPT
　　　　– 근거 수집: 주장하는 글을 쓸 주제를 선택하고, 관련 근거와 예시를 수집하기

2일 차: 논거 계획과 예비 작성
– 키워드 읽기: 논리적, 구조, 계획, 예비 작성
– 논거 구조 계획하기: 전제, 중심 주장, 근거로 이루어진 논리적 구조 구성하기
– 예비 작성: 선택한 주제에 대해 주장의 첫 문장, 이유와 근거를 강화하는 문장 작성해보기

3일 차: 표현력과 반론 대응
– 키워드 읽기: 표현력, 청중, 언어, 반론
– 표현력 강화하기: 주장에 강도를 더하는 표현, 문법과 언어 사용에 신경 쓰기
– 반론 대응: 예상되는 반론과 이의에 대해 생각하고 대처 방안 구상하기

위의 계획표는 주어진 내용을 3일에 걸쳐 학습하고 복습하는 데 도움을 줄 수 있습니다. 매일 정해진 키워드와 관련된 내용을 읽고 이해하며, 주제에 대한 근거를 수집하고 논리적 구조를 계획하여 예비 작성을 하고, 표현력과 반론 대응에 초점을 맞추어 공부할 수 있습니다. 암기와 이해를 동시에 반복하는 것이 중요하니, 노트나 플래시카드를 활용하여 키워드와 관련 내용을 정리하고 복습하는 것도 좋은 방법입니다.

4. 어색한 문장 찾아내기

챗GPT는 여러분이 만든 문장이 호응관계가 맞지 않거나 어색한 부분이 있는지 확인해 자연스러운 문장으로 바꾸어 줄 수 있습니다. 예를 들어, '나는 학교에 걸어서 가지 않는다'라는 문장이 있다면, 이 문장은 문법적으로는 맞지만, 자연스럽지 않은 표현입니다. 일반적으로는 '나는 학교까지 걸어가지 않는다'라는 표현이 더욱 자연스러운 표현이 됩니다. 이렇게 챗GPT는 여러분들이 입력한 문장에서 어색한 부분을 찾아내, 문장을 더욱 자연스럽게 만들어줄 수 있습니다. 이러한 기능은 여러분이 쓴 글을 수정할 때 아주 유용합니다.

- _____(여러분이 작성한 글)_____ 을(를) 자연스러운 문장으로 바꾸어 주세요.
- _____(여러분이 작성한 문장)_____. 이 문장의 어색한 점을 찾아서 바꾸어 주세요.

어색한 문장을 찾아내는 실습을 해보겠습니다. 여러분이 작성한 글을 자연스러운 문장으로 바꾸어 달라고 챗GPT에 질문을 할 수 있습니다.

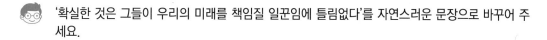

다음 프롬프트 공식에 따라 실제로 질문해보고 도움을 받아보겠습니다.

_____(여러분이 작성한 글)_____ 을(를) 자연스러운 문장으로 바꾸어 주세요.

'확실한 것은 그들이 우리의 미래를 책임질 일꾼임에 틀림없다'를 자연스러운 문장으로 바꾸어 주세요.

ChatGPT '확실한 것은 그들이 우리의 미래를 책임질 인재들이라는 점입니다'라는 표현으로 수정하면 더욱 자연스러운 표현이 됩니다. '일꾼'이라는 표현은 더 구어체에 가까운 표현이므로, 더 공손하고 정확한 표현을 사용하는 것이 좋습니다.

작성한 문장에서 어색한 부분을 찾아 틀린 이유와 수정한 문장을 표시하게 할 수 있습니다. 특히 챗GPT와의 대화는 한 번의 대화로 끝나지 않고, 여러 번의 대화를 통해 말을 이어갈 수 있습니다. 따라서 아래의 예시와 같이 '꼭 들어갈 단어'를 이야기하거나 '뜻은 같지만 형태는 다른 문장'을 추천받아서 수정할 수도 있습니다.

예시

다음 프롬프트 공식에 따라 실제로 질문해보고 도움을 받아보겠습니다.

_____(여러분이 작성한 글)_____. 이 문장의 어색한 점을 찾아서 바꾸어 주세요.

 비록 그는 가난하면서 이 세상에 사는 보람을 느꼈다.
그는 가까스로 30점밖에 못 얻었다.

이 문장들의 어색한 점을 찾아서 바꾸어 주세요. (리스트 형식, 국어 문제, 중학생 수준)

ChatGPT
1. "비록 그는 가난하면서 이 세상에 사는 보람을 느꼈다." ―〉 "비록 그는 가난하지만 이 세상에 사는 보람을 느꼈다."
2. "그는 가까스로 30점밖에 못 얻었다." ―〉 "그는 겨우 30점을 얻었다."

10장 챗GPT와 수학 공부

수학은 공부의 꽃이자 대한민국의 학생들에게는 매우 중요한 부분을 차지하며, 수많은 학생이 이 과목을 정복하고자 노력합니다. 지금부터는 챗GPT를 활용하여 학생들이 수학 공부를 더 쉽고 효율적으로 할 수 있는 방법을 소개합니다. 여러분이 수학 문제나 개념을 이해하는 데 도움이 되도록 구성해보았습니다. 챗GPT를 활용한 수학 공부는 다음과 같은 방법이 있습니다.

- 수학 용어, 공식 및 개념을 쉽게 이해할 수 있습니다.
- 문제의 정답과 해설을 친절히 알려줍니다.
- 수학 공부에 대한 조언을 얻을 수 있어, 학생들이 좀 더 효율적인 공부 방법을 찾을 수 있습니다.

무엇보다 이 챕터는 수학 공부에 흥미와 재미를 찾는 것을 목표로 합니다. 챗GPT와 함께 수학 놀이를 즐기면서, 여러분들은 수학에 대한 긍정적인 인식을 갖게 되며, 동기를 부여받을 수 있습니다. 이제 챗GPT와 함께하는 수학 공부를 시작해보겠습니다. 먼저 수학을 공부할 때는 챗GPT와의 대화창에 수식을 써야 합니다. 아래 '키보드로 수식 작성 방법'을 참고할 수 있습니다.

〈키보드로 수학 수식을 작성하는 방법〉

키보드로 수학 수식을 작성하려면 기본적인 수학 기호와 연산자를 사용하여 표현할 수 있습니다. 대부분 수학 기호는 키보드 상에 바로 사용할 수 있는 특수문자이거나, 간단한 조합으로 나타낼 수 있습니다. 다음은 일반적으로 사용되는 수학 기호와 연산자의 키보드 입력 방법입니다:

1. 사칙연산:
   - 덧셈: +
   - 뺄셈: −
   - 곱셈: * (asterisk) 또는 x
   - 나눗셈: / (slash)

2. 분수:
   - 분수 기호로 슬래시(/)를 사용하여 표현할 수 있습니다. 📍 3/4

3. 지수와 제곱근:
   - 지수는 숫자 다음에 ^ 기호(Shift+6)를 사용하여 표현할 수 있습니다. 📍 2^3 (2의 세제곱)
   - 제곱근은 'sqrt'를 사용하여 표현할 수 있습니다. 📍 sqrt(9) (9의 제곱근)

4. 미지수와 방정식:
   - 미지수는 일반적으로 영문 소문자 x, y, z 등을 사용합니다.
   - 방정식은 등호(=) 기호를 사용하여 표현합니다. 📍 3x + 2 = 5

5. 괄호:
   - 괄호는 일반적인 소괄호 ( )를 사용하여 표현합니다. 📍 (2 + 3) * 4

6. 그 외 기호:
   - 더하기와 빼기를 함께 쓸 때(±): +/- 또는 +- 등으로 표현할 수 있습니다.
   - 부등호: 작다(<), 크다(>) 등의 기호를 사용합니다.

1. 수학 시험 공부에 활용하기

여러분은 챗GPT를 활용해서 수학 시험 공부를 할 수 있습니다. 수학 시험 공부에 챗GPT를 활용할 때 제일 중요한 점은 챗GPT를 보조적인 도구로 활용하면서 스스로 공부하는 습관을 기르는 것입니다. 수학 시험 공부를 5단계로 나누어서 챗GPT를 활용하는 방법을 정리해보았습니다.

1단계 시험 공부 계획 세우기 및 문제 유형 파악하기

수학 시험에서 나오는 문제 유형을 파악합니다. 이를 위해 예전에 있었던 수학 시험 문제를 분석하거나, 선생님의 지도를 받을 수 있습니다. 그리고 챗GPT에게 '공부할 부분의 자주 출제되는 문제유형'을 질문을 해보면서 수학 시험 준비를 위한 '공부 계획'을 세울 수도 있습니다.

하우쌤의
챗GPT 학습법 프롬프트 공식

- _____(단원명)_____ 에서 자주 출제되는 시험 문제 유형을 표 형식으로 정리해주세요.
- _____(단원명)_____ 에서 학생들이 많이 틀리는 문제유형을 리스트로 정리해주세요.
- _____(단원명)_____ 을(를) 어려워하는 __(수준)__ 이 단계적으로 공부할 수 있는 계획을 세워주세요.
(3주 시험 대비 일일 계획, 표 형식)

먼저 소인수 분해 단원에서 자주 출제되는 문제 유형을 표 형식으로 정리해볼까요? 다음과 같이 프롬프트를 작성해보세요. 이렇게 하면 여러분들이 문제를 찾아 헤매지 않고, 챗GPT가 손쉽게 주요 문제 유형을 정리해주어 시간을 절약할 수 있습니다. 그리고 문제 유형별로 정리된 표 형식을 통해 체계적으로 문제를 풀어나갈 수 있고, 소인수 분해 개념을 더욱 확실히 이해할 수 있습니다. 그리고 표 형식으로 정리된 문제 유형을 참고해서, 시험 전에 빠르게 복습할 수도 있습니다. 동시에 시험 성적을 높일 기회를 잡을 수 있습니다.

다음 프롬프트 공식에 따라 실제로 질문해보고 도움을 받아보겠습니다.

_____(단원명)_____에서 자주 출제되는 시험 문제 유형을 표 형식으로 정리해주세요.

중학교 '소인수 분해' 단원에서 자주 출제되는 시험 문제 유형을 표 형식으로 정리해주세요

ChatGPT 네, 중학교 수학에서 소인수 분해는 자주 출제되는 문제 유형 중 하나입니다. 소인수 분해 문제는 문제의 난이도나 형식에 따라 다양한 유형으로 출제됩니다. 여기에는 중학교 수학에서 자주 출제되는 소인수 분해 문제 유형을 표 형식으로 정리해 드리겠습니다.

문제 유형	예시
자연수 소인수분해하기	36 = 2 x 2 x 3 x 3
최대공약수와 최소공배수 구하기	24와 36의 최대공약수는 12, 최소공배수는 72
소수 판별하기	17은 소수인가?
소인수분해를 이용한 약수 구하기	24의 약수는 1, 2, 3, 4, 6, 8, 12, 24
소수의 개수 구하기	1부터 100까지 소수의 개수는 몇 개인가?
소인수분해를 이용한 배수 구하기	3과 5의 공배수 중 가장 작은 수는?
소인수분해를 이용한 분수의 기약분수로 표현하기	6/10을 기약분수로 나타내면 3/5
소인수분해를 이용한 소인수의 합 구하기	24의 소인수의 합은 2+2+2+3=9
소인수분해를 이용한 약분과 기약분수 구하기	12/18을 소인수분해하고 약분하여 기약분수로 만들기
소인수분해를 이용한 유클리드 호제법	72와 36의 최대공약수와 최소공배수 구하기

이번에는 챗GPT를 활용하여 확률의 곱셈정리에서 학생들이 많이 틀리는 문제 유형을 리스트로 정리해보겠습니다. 아래와 같이 수준을 정하고, 문제유형을 챗GPT에 물어봅시다.

챗GPT가 정리한 문제 유형을 참고하면, 여러분이 어떤 부분에서 실수하는지 파악할 수 있습니다. 이렇게 실수를 줄이고 개념을 확실히 이해할 수 있습니다. 자주 틀리는 문제 유형을 미리 알고 있으면, 그 부분에 집중해서 학습할 수 있고, 효율적으로 시간을 활용할 수 있습니다. 이렇게 많이 틀리는 문제 유형을 알고 난 후, 여러분은 해당 유형의 문제를 반복 연습할 수 있고, 이 과정에서 자신감이 향상되고, 확률의 곱셈정리에 대한 이해도가 높아질 수 있습니다.

예시

다음 프롬프트 공식에 따라 실제로 질문해보고 도움을 받아보겠습니다.

_____(단원명)_____에서 학생들이 많이 틀리는 문제 유형을 리스트로 정리해주세요.

확률의 곱셈정리에서 학생들이 많이 틀리는 문제 유형을 리스트로 정리해주세요. (고등학생 수준)

ChatGPT

확률의 곱셈정리는 조건부 확률과 관련하여 여러 사건이 동시에 발생할 확률을 구하는 데 사용됩니다. 학생들이 자주 틀리는 확률의 곱셈정리에 관련된 문제 유형을 다음과 같이 정리할 수 있습니다.

1. 종속 사건을 독립 사건으로 오인하는 경우
 – 예를 들어, 체스 게임에서 선공과 후공이 각각 1/2의 확률로 승리할 경우, 두 사건은 서로 독립적인 사건이 아니라 종속적인 사건입니다. 그러나 학생들은 종속 사건을 독립 사건으로 오인하여 오답을 도출하는 경우가 종종 있습니다.

2. 서로 다른 두 사건의 확률을 곱하는 문제
 – 예를 들어, 여름철에 남성들이 모자를 쓰는 확률이 2/3이고, 여름철에 여성들이 모자를 쓰는 확률이 1/2이면, 여름철에 임의의 사람이 모자를 쓰는 확률을 구하는 문제입니다. 이 경우, 각 사건은 서로 다른 사건이므로 확률을 곱할 수 있습니다. 하지만 학생들은 종종 이러한 문제에서 각각의 확률을 더하여 오답을 도출하는 경우가 있습니다.

3. 중복 계산을 하는 문제

ChatGPT

– 예를 들어, 한 대리점에서 두 대의 자동차가 판매될 확률이 각각 1/4, 1/5이면, 두 대리점에서 각각 한 대씩 자동차가 판매될 확률을 구하는 문제입니다. 이 경우, 두 대리점에서 각각 한 대씩 자동차가 판매될 경우의 확률을 구하려면 두 사건 모두에 대해 확률의 곱셈정리를 사용해야 합니다. 그러나 학생들은 종종 두 대리점에서 각각 한 대씩 자동차가 판매될 경우를 각각 계산하여 중복 계산하는 오류를 범하는 경우가 있습니다.

챗GPT는 단계적으로 공부할 수 있는 일일계획도 세워줍니다. 아래와 같이 작성해보세요. 일일 계획을 따라 공부하면, 여러분은 시간을 효율적으로 활용할 수 있고, 시험 기간 동안 다른 과목에도 집중할 수 있습니다. 그리고 이차방정식 개념을 체계적으로 이해할 수 있으며, 단계별로 공부하면 개념을 더욱 확실히 이해할 수 있습니다.

─────────── 예시 ───────────

다음 프롬프트 공식에 따라 실제로 질문해보고 도움을 받아보겠습니다.

_____(단원명)_____을(를) 어려워하는 학생이 단계적으로 공부할 수 있는 계획을 세워주세요. (3주 시험 대비 일일 계획, 표 형식)

이차방정식을 어려워하는 중학생이 단계적으로 공부할 수 있는 계획을 세워주세요. (3주 시험 대비 일일 계획, 표 형식, 중학생 수준)

ChatGPT

중학생이 이차방정식을 단계적으로 공부할 수 있는 3주간의 계획을 아래의 표 형식으로 제시해 드리겠습니다. 이 계획은 중학교 수준을 고려하여 작성되었습니다.

1주 차: 이차방정식 개념 이해하기

날짜	공부 내용
Day 1	이차방정식 개념 소개
Day 2	이차방정식의 형태와 특징 이해하기

날짜	공부 내용
Day 3	이차방정식의 그래프 그리기
Day 4	이차방정식의 판별식 이해하기
Day 5	이차방정식의 해 구하기
Day 6	이차방정식 문제 풀기
Day 7	복습 및 질문/오답 확인

2주 차: 이차방정식의 심화 학습

날짜	공부 내용
Day 8	이차방정식의 근과 계수의 관계 이해하기
Day 9	이차방정식의 근의 공식 유도하기
Day 10	이차방정식의 근의 공식 활용하기
Day 11	이차방정식의 해의 개수와 그래프의 관계 이해하기
Day 12	이차방정식 문제 풀기
Day 13	복습 및 질문/오답 확인
Day 14	모의고사 풀기

3주 차: 응용 문제와 복습

날짜	공부 내용
Day 15	이차방정식의 응용 문제 풀기
Day 16	이차방정식과 연립 방정식 문제 풀기
Day 17	이차방정식과 그래프 문제 풀기
Day 18	이차방정식 문제 풀이 방법 다양화하기
Day 19	복습: 이차방정식 개념 및 문제 풀이 복습
Day 20	복습: 응용 문제와 연습 문제 풀이 복습
Day 21	모의고사 풀기 및 최종 복습

2단계 **챗GPT를 활용하여 유사한 문제나 좀 더 어려운 문제로 풀어보기**

챗GPT에 기출문제나 유사한 문제에 대해 물어보면, 챗GPT가 정보를 찾아 문제와 함께 해결 과정을 쉽게 제공해줄 수 있습니다. 이를 통해 여러분은 문제 유형을 이해하고, 해당 문제를 어떻게 해결할 수 있는지 배울 수 있습니다. 그리고 챗GPT에 여러분이 많이 틀리곤 하는 '실생활 활용 문제', '함정이 있는 문제'로 바꾸어 출제해달라고 요청할 수도 있습니다.

챗GPT는 수학 문제에 대해서는 항상 정확한 답변을 제공하지 않습니다. 일부 유형의 수학적 오류를 반복할 수 있으므로 꼭 여러 출처를 참조하고, 항상 문제를 직접 풀어보면서 검토해야 합니다. 이 또한 공부의 과정이므로 자기주도적 학습자료로 챗GPT를 활용할 수 있습니다. 그리고 선생님, 친구들과 함께 결과를 검토하면서 추가적인 학습자료(교과서, 웹사이트, 온라인 강의)를 찾아볼 수도 있습니다.

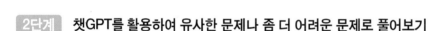

하우쌤의
챗GPT 학습법 프롬프트 공식

- _____(문제)_____. 이 문제와 유사한 문제를 _____(문제의 수)_____ 개 출제해주세요. (___(수준 및 난이도)___), 답은 나중에 알려주세요.
- _____(문제)_____. 이런 문제를 자주 틀리면 어떤 문제로 공부해야 하는지 알려주세요. 공부법도 설명해주세요.

위의 프롬프트에 대한 2가지 예시가 있습니다. 아래와 똑같이 작성하거나, 여러분이 원하는 문제로 바꿀 수 있습니다. 이렇게 유사한 문제를 풀면서 개념을 다양한 방면에서 이해할 수 있고, 문제를 보는 시야가 넓어지며, 다양한 유형의 문제를 해결할 수 있는 능력이 향상될 수 있습니다. 그리고 다양한 난이도의 문제를 풀면서, 자신의 수준에 맞는 문제를 연습할 수 있습니다.

예시

다음 프롬프트 공식에 따라 실제로 질문해보고 도움을 받아보겠습니다.

_____(문제)_____. 이 문제와 유사한 문제를 ____(문제의 수)____ 개 출제해주세요. (___(수준 및 난이도)___),
답은 나중에 알려주세요.

가로가 3x^3이고 세로가 3인 직사각형의 넓이를 단항식으로 나타내세요.

위의 문제와 유사한 문제를 2개 출제해주세요. (중학생 수준, 난이도:상 1문제, 난이도:하 1문제)

답은 나중에 알려주세요.

ChatGPT

1. 난이도: 상
한 변의 길이가 2x-3인 정사각형의 넓이를 단항식으로 나타내세요.

2. 난이도: 하
밑변이 4x이고 높이가 2인 삼각형의 넓이를 단항식으로 나타내세요.

각 문제의 답과 풀이과정을 알려주세요.

ChatGPT

1. 난이도: 상
한 변의 길이가 2x-3인 정사각형의 넓이를 단항식으로 나타내세요.

답: (2x-3)^2

풀이과정:
정사각형의 넓이는 한 변의 길이의 제곱으로 구할 수 있습니다. 따라서 주어진 문제에서는 한 변의 길이가 2x-3이므로, 넓이를 나타내는 단항식은 (2x-3)^2입니다.

2. 난이도: 하

밑변이 4x이고 높이가 2인 삼각형의 넓이를 단항식으로 나타내세요.

답: (4x * 2) / 2 = 4x

풀이과정:
삼각형의 넓이는 밑변과 높이의 곱을 2로 나눈 값으로 구할 수 있습니다. 따라서, 주어진 문제에서는 밑변이 4x이고 높이가 2이므로, 넓이를 나타내는 단항식은 (4x * 2) / 2로 간단하게 계산하여 4x가 됩니다.

예시

다음 프롬프트 공식에 따라 실제로 질문해보고 도움을 받아보겠습니다.

_____(문제)_____. 이런 문제를 자주 틀리면 어떤 문제로 공부해야 하는지 알려주세요. 공부법도 설명해주세요.

문제 : A, B 두 개의 주사위를 동시에 던질 때, 나오는 두 눈의 합 또는 곱이 8인 경우의 수를 구하시오.

이런 문제를 자주 틀리면 어떤 문제로 공부해야 하는지 알려주세요. 공부법도 설명해주세요.

이러한 문제는 확률과 조합의 개념을 이해하고 있으면 풀기 쉬운 문제입니다.
확률은 어떤 사건이 발생할 가능성을 나타내는 것으로, 발생 가능한 경우의 수를 전체 경우의 수로 나눈 것으로 계산합니다. 조합은 서로 다른 n개의 원소 중 r개를 선택하는 경우의 수를 의미합니다.
이 문제를 풀기 위해서는 먼저 두 주사위를 동시에 던져서 나올 수 있는 모든 경우의 수를 구해야 합니다. 한 주사위에서 나올 수 있는 눈의 수는 1부터 6까지이므로, 두 주사위를 동시에 던지면 나올 수 있는 모든 경우의 수는 6 x 6 = 36이 됩니다.

그다음으로는, 두 주사위의 눈의 합이나 곱이 8이 되는 경우의 수를 구해야 합니다. 이때 눈의 합이 8이 되는 경우의 수와 눈의 곱이 8이 되는 경우의 수를 따로 구해서 더하면 됩니다.

- 두 눈의 합이 8이 되는 경우의 수
  두 주사위를 던져서 나온 두 눈의 수를 x, y라고 하면, x + y = 8인 경우를 찾으면 됩니다. 이는 다음과 같은 경우입니다.
  (2,6), (3,5), (4,4), (5,3), (6,2)
  따라서 두 눈의 합이 8이 되는 경우의 수는 5가 됩니다.

- 두 눈의 곱이 8이 되는 경우의 수
  두 주사위를 던져서 나온 두 눈의 수를 x, y라고 하면, x × y = 8인 경우를 찾으면 됩니다. 이는 다음과 같은 경우입니다.
  (2,4), (4,2)
  따라서 두 눈의 곱이 8이 되는 경우의 수는 2가 됩니다.

따라서 두 눈의 합 또는 곱이 8인 경우의 수는 5 + 2 = 7이 됩니다.

확률과 조합에 대해 학습하기 위해서는 각각의 개념을 이해하고 예제 문제를 풀어보는 것이 좋습니다. 예제 문제를 풀어보면서 자신이 어느 부분에서 어려움을 느끼는지 파악하고, 그 부분에 대해 더 깊게 공부하면 됩니다.

예를 들어, 조합을 이해하는 데 어려움을 느낀다면, 서로 다른 n개의 원소 중에서 r개를 선택하는 경우의 수를 계산하는 예제 문제를 찾아서 풀어보면서 조합의 개념을 이해할 수 있습니다. 또한, 확률을 이해하는 데 어려움을 느낀다면, 확률의 개념과 확률을 계산하는 방법을 설명하는 예제 문제를 찾아서 풀어보면 됩니다.

이러한 문제를 풀 때는 경우의 수를 구하는 과정에서 정확하게 모든 경우를 고려해야 하므로, 주어진 문제에서 필요한 정보를 정확하게 파악하고, 그에 따라 경우의 수를 계산해야 합니다. 이 과정에서 실수하지 않도록 문제를 꼼꼼히 읽고 이해하는 능력이 필요합니다.

3단계 챗GPT를 활용하여 예습 · 복습 자료 만들기

챗GPT를 활용하여 수학 공부에 필요한 내용을 검색해 볼 수 있습니다. 자신의 수준에 따라 수학 예습과 복습 내용을 정할 수 있고, 앞서 '수학 시험 계획 세우기'에서 확인한 수학 공부 세부 내용을 질문하고 수학 공부에 필요한 정보를 얻을 수 있습니다.

하우쌤의
챗GPT 학습법 프롬프트 공식

- ___(수학 내용)___ 을(를) 예습/복습하기 위한 자료를 만들어주세요.
- ___(수학 내용)___ 을(를) 더 공부해 볼 수 있는 자료를 만들어주세요.
- ___(수학 내용)___ 이(가) 이해가 안 됩니다. 쉽게 이해할 수 있는 자료를 만들어주세요.
- ___(수학 내용)___ 을(를) 활용해서 실생활 프로젝트를 진행하려고 합니다. 주제를 추천해주세요. (리스트 형식)

챗GPT를 활용하여 여러분들이 원하는 수학 내용을 예습, 복습하기 위한 자료를 만들어주거나, 더 공부해 볼 수 있는 자료를 제공해줍니다. 학생들이 스스로 원하는 수학 내용을 공부하고자 할 때, 챗GPT를 활용하여 추가 자료를 받으면 여러분들이 더 공부해볼 수 있는 자료를 받고, 자기주도적인 학습을 할 수 있습니다. 다음 예시와 같이 실습을 해볼 수 있습니다.

예시

다음 프롬프트 공식에 따라 실제로 질문해보고 도움을 받아보겠습니다.

___(수학 내용)___ 을(를) 예습/복습하기 위한 자료를 만들어주세요.

 '이차방정식의 근과 그래프 간의 관계'를 예습하기 위한 자료를 만들어주세요.

 이차방정식의 근과 그래프 간의 관계에 대한 예습 자료입니다.

ChatGPT
1. 이차방정식의 일반적인 형태
   - $ax^2 + bx + c = 0$
   - a, b, c는 상수이며, a는 0이 아니다.

2. 이차방정식의 해의 공식
   - 이차방정식의 해는 다음과 같은 공식을 이용하여 구할 수 있다.
   - $x = (-b \pm \sqrt{(b^2-4ac)}) / 2a$
   - 여기서 $\sqrt{}$는 루트 기호를 나타낸다.

3. 이차방정식의 해의 개수
   - 이차방정식의 해의 개수는 판별식(Discriminant)인 $D = b^2 - 4ac$의 값에 따라 결정된다.
   - $D > 0$이면 두 개의 서로 다른 실근을 가진다.
   - $D = 0$이면 두 개의 중근을 가진다.
   - $D < 0$이면 두 개의 허근을 가진다.

4. 이차방정식의 그래프와 근의 관계
   - 이차방정식의 그래프와 근의 관계는 다음과 같다.
   - $D > 0$이면 그래프와 x축이 두 점에서 교차한다.
   - $D = 0$이면 그래프와 x축이 한 점에서 접한다.
   - $D < 0$이면 그래프와 x축이 만나지 않는다.

5. 이차방정식의 그래프의 모양과 계수의 관계
   - 이차방정식의 그래프의 모양과 계수 a의 부호와 크기에 따라 결정된다.
   - $a > 0$이면 위로 볼록한 모양을 가진다.
   - $a < 0$이면 아래로 볼록한 모양을 가진다.
   - a의 크기가 커질수록 그래프의 기울기가 급격해진다.

6. 이차방정식의 근의 활용
   - 이차방정식의 근은 실생활 문제에서 다양하게 활용된다.
   - 예를 들어, 특정한 자동차 모델의 연료 소비율 함수가 이차방정식으로 주어졌을 때, 최소 연료 소비율을 구하기 위해 근을 활용할 수 있다.

다음 프롬프트 공식에 따라 실제로 질문해보고 도움을 받아보겠습니다.

_____(수학 내용)_____ 을(를) 더 공부해 볼 수 있는 자료를 만들어주세요.

 수학 '순열'을 더 공부해 볼 수 있는 자료를 만들어주세요

 ChatGPT [순열이란?]
순열은 서로 다른 n개의 원소 중 r개를 택하여 일렬로 나열하는 경우의 수를 말합니다. 중복을 허용하지 않고 순서에 따라 배열하는 것이 특징입니다.

예를 들어, A, B, C, D 네 개의 문자가 있을 때, 이 중에서 2개를 택하여 나열하는 경우의 수를 구하면 AB, AC, AD, BA, BC, BD, CA, CB, CD, DA, DB, DC로 총 12개입니다.

순열의 경우의 수는 다음과 같이 구할 수 있습니다.
$P(n, r) = n! / (n-r)!$

[순열과 관련된 예시 문제]
1. 1, 2, 3, 4, 5 다섯 개의 숫자 중에서 세 개를 골라 일렬로 나열할 때, 가능한 경우의 수는 몇 가지인가요?
  − $_5P_3 = 5! / (5-3)! = 5! / 2! = 60$

2. A, B, C, D, E 다섯 명 중에서 1위, 2위, 3위를 정하는 방법의 경우의 수는 몇 가지인가요?
  − $_5P_3 = 5! / (5-3)! = 5! / 2! = 60$

3. A, B, C, D, E 다섯 명 중에서 1위, 2위를 정하고 각각의 시간을 기록하는 경우의 수는 몇 가지인가요?
  − $_5P_2 = 5! / (5-2)! = 5! / 3! = 20$

[순열과 관련된 응용 문제]
4. 10명의 학생 중에서 4명을 뽑아 한 줄로 서는 방법의 수는 몇 가지인가요?
  − $_{10}P_4 = 10! / (10-4)! = 10! / 6! = 5040$

 5. A, B, C, D, E, F, G, H, I, J 10명 중에서 3명을 뽑아 회의에 참석하는 방법의 수는 몇 가지인
ChatGPT   가요?
   - $_{10}P_3 = 10! / (10-3)! = 10! / 7! = 720$

───────────────(예시)───────────────

다음 프롬프트 공식에 따라 실제로 질문해보고 도움을 받아보겠습니다.

_____(수학 내용)_____ 이(가) 이해가 안 됩니다. 쉽게 이해할 수 있는 자료를 만들어주세요.

 '거듭제곱의 곱셈'이 이해가 안 됩니다. 쉽게 이해할 수 있는 자료를 만들어주세요. (중학생 수준)

 거듭제곱의 곱셈은 중학교 수준에서 다루는 수학 개념 중 하나로, 거듭제곱을 곱하는 과정을 의
ChatGPT 미합니다. 이를 이해하기 위해서는 거듭제곱과 곱셈에 대한 기본 개념을 알아야 합니다. 각각을
   간단히 설명하고, 그 뒤에 거듭제곱의 곱셈에 대해 설명하겠습니다.

   1. 거듭제곱:
   거듭제곱은 하나의 수를 여러 번 곱하는 것을 의미합니다. 일반적으로 '밑'이라고 불리는 수를 여
   러 번 곱해서 '지수' 번 만큼 곱하는 것입니다. 거듭제곱은 다음과 같이 표현됩니다: 밑^지수.
   예를 들어, 2^3은 2를 3번 곱하는 것을 의미합니다. 따라서 2^3은 2 x 2 x 2 = 8이 됩니다.

   2. 곱셈:
   곱셈은 두 개의 수를 곱해서 그 결과를 얻는 연산입니다. 예를 들어, 2 x 3 = 6이며, 이 경우 2와 3
   을 곱해서 6을 얻습니다.
   이제 거듭제곱의 곱셈에 대해 알아보겠습니다. 거듭제곱의 곱셈은 여러 개의 거듭제곱을 곱하는
   것을 의미합니다.
   예를 들어, (2^2) x (2^3)을 계산해보겠습니다. 먼저 각각의 거듭제곱을 계산하고, 그 결과를 곱합
   니다.

   2^2 = 2 x 2 = 4
   2^3 = 2 x 2 x 2 = 8

ChatGPT 따라서 (2^2) x (2^3) = 4 x 8 = 32입니다.
이런 식으로, 거듭제곱의 곱셈은 밑이 같은 거듭제곱들을 곱할 때 지수를 더해서 새로운 거듭제곱을 만들고, 그 결과를 계산하는 것입니다.

마지막으로, 거듭제곱의 곱셈에는 곱셈의 규칙을 사용할 수 있습니다. 두 거듭제곱을 곱할 때 같은 밑을 가지고 있으면, 지수를 더해서 새로운 거듭제곱을 만들 수 있습니다.
예를 들어, 2^2 x 2^3을 다시 계산해보겠습니다. 위에서 계산한 결과와 같을 것입니다.

2^2 x 2^3 = 2^(2+3) = 2^5 = 2 x 2 x 2 x 2 x 2 = 32

이런 식으로, 거듭제곱의 곱셈에서는 같은 밑을 가지는 거듭제곱들을 곱할 때는 지수를 더하여 새로운 거듭제곱을 만들 수 있습니다. 이 규칙을 사용하면 계산이 간단해집니다.

여러분은 수학을 배우면서 실생활과 연관된 프로젝트 주제가 필요할 때가 있습니다. 이때 챗GPT가 추천해주는 실생활 프로젝트 주제를 통해, 수학 개념을 현실 문제에 적용해 볼 수 있습니다. 실생활과 관련된 프로젝트를 진행하면, 여러분은 수학 공부에 대한 동기를 높일 수 있고, 학습에 흥미를 더욱 느끼게 될 수 있습니다. 그리고 다른 친구들과 협업하며 배울 수 있습니다. 이번에는 챗GPT를 활용하여 페르마의 정리를 활용한 실생활 프로젝트 주제를 추천받아 볼까요?

───────────────── 예시 ─────────────────

다음 프롬프트 공식에 따라 실제로 질문해보고 도움을 받아보겠습니다.

_____(수학 내용)_____ 을(를) 활용해서 실생활 프로젝트를 진행하려고 합니다. 주제를 추천해주세요. (리스트 형식)

'입체도형의 겉넓이'를 활용해서 실생활 프로젝트를 진행하려고 합니다. 주제를 추천해주세요. (리스트 형식, 중학생 수준)

ChatGPT

1. 빌딩 디자인 프로젝트: 다양한 입체도형을 활용하여 특정 지역의 랜드마크 또는 건물을 디자인해보세요. 각각의 입체도형의 겉넓이를 계산하여 실제 크기에 맞게 모형을 만들 수 있습니다.

2. 도서관 구성 프로젝트: 도서관을 만들기 위해 다양한 책장과 책상을 설계해보세요. 각 책장과 책상의 입체도형을 사용하여 겉넓이를 계산하고, 도서관 내부에 적합한 배치를 고려해보세요.

3. 운동 시설 설계 프로젝트: 체육관 또는 운동 시설을 설계하는 프로젝트를 진행해보세요. 다양한 운동기구나 시설물의 입체도형을 사용하여 겉넓이를 계산하고, 시설 내부의 효율적인 배치를 고려해보세요.

4. 정원 디자인 프로젝트: 입체도형을 활용하여 다양한 정원 요소를 디자인해보세요. 꽃밭, 수영장, 작은 연못 등을 만들기 위해 입체도형의 겉넓이를 계산하여 필요한 자재의 양을 추정해보세요.

5. 컨테이너 하우스 설계 프로젝트: 입체도형의 겉넓이를 활용하여 현대적인 컨테이너 하우스를 설계해보세요. 각각의 컨테이너 모듈의 겉넓이를 계산하고, 적절한 배치와 연결 방법을 고려하여 실제 거주 가능한 공간을 만들어보세요.

4단계 **챗GPT를 활용하여 문제 해결 방법 검토하기**

여러분이 스스로 수학 문제를 해결하기 위해 고민하다가, 해결 방법을 찾지 못한 경우, 챗GPT에게 도움을 요청할 수 있습니다. 그리고 문제를 해결한 이후에도 챗GPT의 다양한 문제 해결방법을 살펴보며 문제해결력을 향상시킬 수 있습니다.

하우쌤의
챗GPT 학습법 프롬프트 공식

- _____(문제)_____. 이 문제를 여러 가지 방법으로 해결해주세요. (수학)
- _____(문제)_____. 이 문제에서 어떤 공식이나 개념을 적용해야 하나요? (리스트 형식으로, 답은 알려주지 마세요)
- _____(문제)_____. 이 문제를 푸는 데 필요한 선행 지식이 무엇인가요?

그럼 프롬프트 공식을 적용해보겠습니다. 챗GPT가 제공하는 다양한 해결 방법을 통해, 여러분들은 문제를 더 깊게 이해할 수 있습니다. 또 문제 해결 능력이 향상되고, 유사한 문제를 만났을 때 더 빠르게 해결할 수 있습니다.

━━━━━━━━━━━━━(예시)━━━━━━━━━━━━━

다음 프롬프트 공식에 따라 실제로 질문해보고 도움을 받아보겠습니다.

_____(문제)_____. 이 문제를 여러 가지 방법으로 해결해주세요. (수학)

 1부터 10까지의 자연수가 하나씩 적힌 카드 중에서 한 장의 카드를 뽑을 때, 카드의 적힌 수가 3의 배수인 경우의 수를 구하시오.

이 문제를 여러 가지 방법으로 해결해주세요. (수학)

🤖 이 문제를 해결하기 위해 다양한 방법을 사용할 수 있습니다. 여기서는 세 가지 방법을 설명하
ChatGPT 겠습니다.

방법 1: 직접 계산
1부터 10까지의 자연수 중 3의 배수인 수는 3, 6, 9입니다. 따라서 총 3개입니다.

방법 2: 수열 이용

1부터 10까지의 수열은 1, 2, 3, ..., 10입니다. 이 수열에서 3의 배수인 수는 3, 6, 9입니다. 3부터 시작해서 3씩 증가하는 수열이므로, 마지막 항인 10을 3으로 나눈 몫은 3입니다. 따라서 3의 배수인 경우의 수는 3개입니다.

방법 3: 조건식 이용
1부터 10까지의 수 중에서 3의 배수인 경우는 다음과 같은 조건을 만족하는 수입니다: 수를 3으로 나눈 나머지가 0입니다. 따라서 1부터 10까지의 수 중에서 이 조건을 만족하는 수를 찾으면 됩니다. 1 % 3 = 1, 2 % 3 = 2, 3 % 3 = 0, ..., 10 % 3 = 1입니다. 이 중에서 나머지가 0인 경우는 3, 6, 9입니다. 따라서 3의 배수인 경우의 수는 3개입니다.

아래에는 부등식의 예를 활용했지만, 여러분이 궁금한 문제를 적어서 질문하면 됩니다. 챗GPT는 부등식 문제를 해결하기 위한 필요한 공식이나 개념을 차근차근 알려주어, 이해를 돕습니다. 이렇게 하면 체계적인 학습을 할 수 있고, 개념을 깊게 파악할 수 있습니다.

───────────────── 예시 ─────────────────

다음 프롬프트 공식에 따라 실제로 질문해보고 도움을 받아보겠습니다.

_____(문제)_____. 이 문제에서 어떤 공식이나 개념을 적용해야 하나요? (리스트 형식으로, 답은 알려주지 마세요)

 다음 부등식을 만족하는 x의 값의 범위를 구하시오.
$2x + 3 < 5x - 1$

이 문제에서 어떤 공식이나 개념을 적용해야 하나요?
(리스트 형식으로, 답은 알려주지 마세요)

 부등식 문제를 풀기 위해 사용할 수 있는 몇 가지 개념과 공식은 다음과 같습니다:

ChatGPT

1. 부등식의 양 변에 동일한 값을 더하거나 빼는 것은 부등호의 방향을 바꾸지 않습니다.
2. 부등식의 양 변을 동일한 양으로 곱하는 것은 부등호의 방향을 바꾸지 않습니다. 단, 곱하는 값이 0보다 작을 경우 방향이 바뀝니다.
3. 부등식의 양 변에 동일한 양을 곱하거나 나누는 것은 부등호의 방향을 바꾸지 않습니다. 단, 나누는 값이 0보다 작을 경우 방향이 바뀝니다.

이러한 개념과 공식을 활용하여 주어진 부등식을 해결할 수 있습니다.

그리고 필요한 선행 지식을 질문하면서 여러분은 학습에 소요되는 시간을 줄일 수 있습니다. 학습 효율성도 높아지고, 다른 학습 내용에 더 집중할 수 있습니다.

─── 예시 ───

다음 프롬프트 공식에 따라 실제로 질문해보고 도움을 받아보겠습니다.

_____(문제)_____. 이 문제를 푸는 데 필요한 선행 지식이 무엇인가요?

 다음 2차 방정식의 해를 구하시오.
$x^2 - 5x + 6 = 0$

이 문제를 푸는 데 필요한 선행 지식이 무엇인가요?

 주어진 2차 방정식을 푸는 데 필요한 선행 지식은 다음과 같습니다.

ChatGPT

1. 2차 방정식의 개념과 일반적인 형식

   - 2차 방정식은 x의 2차항, 1차항, 상수항의 계수를 a, b, c라고 할 때, 일반적인 형식은 $ax^2 + bx + c = 0$이다.

2. 판별식의 개념과 판별식을 이용한 해의 개수 판별

ChatGPT
- 판별식 D = b^2 − 4ac의 값에 따라 해의 개수가 결정된다.
- D > 0인 경우, 두 개의 서로 다른 실근을 가진다.
- D = 0인 경우, 두 개의 서로 같은 실근을 가진다.
- D < 0인 경우, 두 개의 허근을 가진다.

3. 근의 공식의 개념과 사용 방법
- 근의 공식은 x = (−b ± √D) / 2a로 주어진 2차 방정식의 근을 구하는 공식이다.
- 판별식 D의 값에 따라서 근의 공식을 적용할 수 있으며, 실근 또는 허근을 구할 수 있다.

5단계 **챗GPT의 답변을 활용하여 자신만의 해결 방법 찾기**

1~4 단계에서 챗GPT의 답변을 보면서, 여러분 스스로 문제를 해결하는 방법을 찾아보고 수학 실력을 높일 수 있습니다.

2. 챗GPT에게 수학 질문하기 (식 세우기, 수학 용어 검색)

수학 문제나 개념을 이해하려면, 그 문제나 개념에 대한 정확한 정의나 설명을 알아야 합니다. 하지만 용어나 수식의 의미를 모르거나, 수학 문제를 이해하기 어렵다면 챗GPT에 질문하면 도움을 받을 수 있습니다. 챗GPT는 정확한 수학적 정의나 설명을 쉽게 알려줍니다. 또한 식을 작성할 때 도움이 필요하다면 챗GPT에게 힌트나 식을 세우는 방법을 질문할 수 있습니다. 예를 들어, "두 점 (3,3)과 (5,7) 사이의 거리를 구하는 문제를 풀기가 어렵습니다. 힌트를 주세요."와 같이 질문하면 챗GPT가 힌트를 제공합니다.

하우쌤의
챗GPT 학습법 프롬프트 공식

- _____(수학 문제)_____ 문제를 풀기가 어렵습니다. 힌트를 주세요.
- _____(수학 용어)_____의 뜻을 알려주세요.
- _____(방정식)_____, 이 방정식의 풀이 방법을 단계적으로 알려주세요.
- _____(수학 용어)_____을(를) 하는 방법을 설명해주세요.
- _____(수학 용어)_____을(를) 유도하는 방법을 설명해주세요.

아래와 같이 문제를 처음 접하는 학생들은 공식을 사용하는 것이 생소하고 어려울 수 있습니다. 챗GPT가 준 힌트를 참고하여 문제를 풀어보면, 더욱 쉽게 문제를 해결할 수 있습니다. 또한, 이 과정에서 수학적인 지식을 좀 더 넓힐 수 있습니다.

예시

다음 프롬프트 공식에 따라 실제로 질문해보고 도움을 받아보겠습니다.

_____(수학 문제)_____ 문제를 풀기가 어렵습니다. 힌트를 주세요.

> 두 점 (3,3)과 (5,7) 사이의 거리를 구하는 문제를 풀기가 어렵습니다. 문제를 풀 수 있는 힌트를 주세요

ChatGPT 두 점 (3,3)과 (5,7) 사이의 거리를 구하는 문제,
위의 수학 문제를 피타고라스의 정리를 이용한 거리 공식을 사용하면 간단히 해결됩니다.

피타고라스의 정리는 직각 삼각형의 빗변의 길이를 구할 때 사용하는 공식으로, 직각삼각형의 두 직각 변의 길이를 알고 있을 때, 빗변의 길이를 구할 수 있습니다. 이를 활용하여 두 점 사이의 거리를 구하는데도 사용할 수 있습니다.

구체적으로, 두 점 (x1, y1)과 (x2, y2) 사이의 거리를 구하는 공식은 다음과 같습니다.

ChatGPT

$$d = \sqrt{[(x2 - x1)^2 + (y2 - y1)^2]}$$

따라서 두 점 (3,3)과 (5,7) 사이의 거리를 구하려면, 위의 공식에 x1 = 3, y1 = 3, x2 = 5, y2 = 7를 대입하여 계산하면 됩니다.

그리고 수학에서는 '정의'가 중요합니다. 여러 가지 수학 정의를 물어보고 예를 통해 이해할 수 있습니다.

───────────────── 예시 ─────────────────

다음 프롬프트 공식에 따라 실제로 질문해보고 도움을 받아보겠습니다.

_____(수학 용어)_____의 뜻을 알려주세요.

순환소수의 뜻을 알려주세요

ChatGPT

순환소수란, 소수점 이하 자리에서 어떤 수나 수열이 일정한 주기로 반복되는 소수를 말합니다. 예를 들어, 1/3 = 0.33333...과 같이 소수점 이하에서 3이 무한히 반복되는 경우를 순환소수라고 합니다. 순환소수는 무한소수의 일종으로, 유한한 자릿수를 가지지 않고 무한히 이어지는 소수입니다. 순환소수는 무한소수 중에서도 가장 일반적인 형태입니다.

챗GPT는 복잡한 수학 문제를 간단한 단계로 나눠서 설명해줍니다. 여러분은 문제를 쉽게 이해할 수 있고, 놓친 부분이 있다면 쉽게 찾아낼 수 있습니다. 그리고 챗GPT는 문제를 해결하는 과정에서 필요한 개념들을 정확하게 이해할 수 있도록 설명해줍니다.

예시

다음 프롬프트 공식에 따라 실제로 질문해보고 도움을 받아보겠습니다.

___(방정식)___ , 이 방정식의 풀이 방법을 단계적으로 알려주세요.

 $x^2 + 4x + 4 = 0$, 이 방정식의 풀이 방법을 단계적으로 알려주세요. (중학생 수준)

 알겠습니다! 중학생 수준에서 $x^2 + 4x + 4 = 0$ 방정식을 풀어보도록 하겠습니다. 다음은 단계별
ChatGPT 로 설명한 방법입니다:

1. 방정식을 확인해봅시다: 주어진 방정식은 $x^2 + 4x + 4 = 0$입니다.

2. 방정식을 인수분해합니다: 먼저, 방정식을 인수분해하여 $(x + 2)(x + 2) = 0$로 바꿀 수 있습니다. $(x + 2)(x + 2) = x^2 + 4x + 4$로 되기 때문에 이렇게 인수분해할 수 있습니다.

3. 괄호 안의 식을 개별적으로 살펴봅시다: $(x + 2)(x + 2) = 0$에서 각각의 괄호 안의 식을 살펴보면 $x + 2 = 0$입니다.

4. 방정식을 풀기 위해 $x + 2 = 0$을 풀어봅시다: $x + 2 = 0$을 풀면 $x = -2$가 됩니다.

5. 정리해 봅시다: 따라서 주어진 방정식 $x^2 + 4x + 4 = 0$의 해는 $x = -2$입니다.

그리고 챗GPT는 분수와 관련된 기초 개념들을 명확하게 설명해줍니다. 이렇게 여러분은 분수에 대한 이해도를 높일 수 있고, 문제 해결 능력을 향상시킬 수 있습니다. 분수의 나눗셈뿐만 아니라 여러 가지 수학 문제 풀이 방법을 질문할 수 있습니다.

다음 프롬프트 공식에 따라 실제로 질문해보고 도움을 받아보겠습니다.

_____(수학 용어)_____을(를) 하는 방법을 설명해주세요.

 분수의 나눗셈을 하는 방법을 설명해주세요.

 분수의 나눗셈을 계산하는 방법은 다음과 같습니다.

ChatGPT

예시) (3/4) ÷ (2/5)

1. 나눠지는 분수(피제수)를 그대로 두고, 나누는 분수(제수)의 분자와 분모를 서로 바꾼 뒤 분수를 뒤집습니다. 즉, 다음과 같이 변형합니다.

(3/4) ÷ (2/5) = (3/4) × (5/2)

2. 변형된 분수를 통해 분자와 분모를 따로 계산합니다.

분자: 3 × 5 = 15
분모: 4 × 2 = 8

3. 계산된 분자와 분모를 이용하여 최종적인 결과를 구합니다.

15/8

따라서 (3/4) ÷ (2/5) = 15/8로 계산됩니다.

위의 방법은 분수의 나눗셈을 일반적으로 계산할 때 사용할 수 있는 방법입니다. 다만, 분모에 0이 들어가는 경우나 분모나 분자가 너무 큰 경우에는 다른 계산 방법이 필요할 수 있습니다.

3. 계산기처럼 계산하고 수학 공식 검색하기

챗GPT는 사칙연산을 비롯한 다양한 계산을 할 수 있습니다. 예를 들어, "3더하기 4는?"
과 같은 간단한 문제부터 "9x−2y=74, −10x+y=−81일 때 x, y 값은?"과 같이 연립방정
식도 챗GPT에게 물어보면, 풀이과정과 함께 계산기처럼 정답을 알려줍니다. 또한 챗GPT
는 수학 공식에 대한 지식도 가지고 있으므로, 필요한 수학 공식을 검색해 볼 수 있습니
다. 예를 들어, "삼각형의 넓이는 어떻게 구해요?"와 같은 문제를 챗GPT에게 물어보면,
챗GPT가 "삼각형의 넓이는 밑변과 높이를 곱해서 2로 나눈 값입니다."와 같은 답변을 제
공해 줄 수 있습니다.

하우쌤의
챗GPT 학습법 프롬프트 공식

- _____(수학 용어)_____ 을(를) 구하는 공식을 알려주세요.
- _____(단원명)_____ 수학 시험에 유용한 공식을 알려주세요.

공식들은 수학을 공부하는데 필수적인 도구로서, 수학 문제를 해결하는 데 큰 도움을 줍
니다. 따라서 학생들은 이러한 기본적인 공식들을 꼼꼼히 공부하고, 문제를 해결하는 과
정에서 유용하게 활용할 수 있도록 학습해야 합니다. 챗GPT는 아래처럼 공식을 물어볼
수 있습니다.

예시

다음 프롬프트 공식에 따라 실제로 질문해보고 도움을 받아보겠습니다.

_____(~을 할 수 있는, 구하는)_____ 공식을 알려주세요.

예시 ①

 구의 부피와 겉넓이를 구하는 공식을 알려주세요

ChatGPT

구의 부피와 겉넓이를 구하는 공식은 다음과 같습니다.

1. 구의 부피 :
   구의 부피는 반지름(r)을 이용하여 다음과 같이 계산할 수 있습니다.

   $V = (4/3) \times \pi \times r^3$

2. 구의 겉넓이 :
   구의 겉넓이는 반지름(r)을 이용하여 다음과 같이 계산할 수 있습니다.

   $A = 4 \times \pi \times r^2$

   이때, π는 원주율(약 3.14)을 나타냅니다.

위의 공식을 이용하여, 반지름이 주어졌을 때 구의 부피와 겉넓이를 구할 수 있습니다.

예시 ②

 수열의 일반항을 구하는 공식을 알려주세요.

ChatGPT 수열의 일반항을 구하는 공식은 각 수열의 패턴에 따라서 다르게 적용됩니다. 하지만, 보통 등차수열, 등비수열 등의 대표적인 수열에 대해 일반항을 구하는 공식이 있습니다.

1. 등차수열의 일반항

등차수열이란, 각 항 사이의 차이가 일정한 수열을 말합니다. 이때 등차수열의 일반항은 다음과 같이 구할 수 있습니다.

an = a1 + (n − 1)d

여기서 a1은 첫째 항, d는 공차, n은 항의 번호입니다.

예를 들어, 1, 3, 5, 7, 9, ...과 같은 수열에서 공차 d는 2이므로, 이 수열의 일반항은 an = 1 + 2(n − 1)으로 나타낼 수 있습니다.

2. 등비수열의 일반항

등비수열이란, 각 항이 그 앞 항에 일정한 비율을 곱한 수열을 말합니다. 이때 등비수열의 일반항은 다음과 같이 구할 수 있습니다.

an = a1 × r^(n − 1)

여기서 a1은 첫째 항, r은 공비, n은 항의 번호입니다.

예를 들어, 2, 4, 8, 16, 32, ...과 같은 수열에서 공비 r은 2이므로, 이 수열의 일반항은 an = 2 × 2^(n − 1)으로 나타낼 수 있습니다.

위와 같이 등차수열과 등비수열의 일반항을 구할 때에는, 첫째 항과 공차 또는 공비를 이용하여 간단한 공식을 사용합니다. 그 외의 경우에는 수열의 패턴에 따라서 다른 방법을 사용하여 일반항을 구할 수 있습니다.

다음 프롬프트 공식에 따라 실제로 질문해보고 도움을 받아보겠습니다.

_____ (단원명) _____ 수학 시험에 유용한 공식을 알려주세요.

'입체도형의 겉넓이' 단원 수학 시험에 유용한 공식을 알려주세요. (중학생 수준)

ChatGPT 중학교 수준에서 입체도형의 겉넓이를 구하는 공식은 다음과 같습니다. 이 공식들은 주로 가장 기본적인 입체도형인 정육면체, 직육면체, 원통에 대해 사용됩니다.

1. 정육면체의 겉넓이(A):
   $A = 6 \times s^2$
   여기서 s는 정육면체의 한 변의 길이를 나타냅니다.

2. 직육면체의 겉넓이(A):
   $A = 2lw + 2lh + 2wh$
   여기서 l은 직육면체의 가로, w는 세로, h는 높이를 나타냅니다.

3. 원통의 겉넓이(A):
   $A = 2\pi r^2 + 2\pi rh$
   여기서 r은 원통의 밑면의 반지름, h는 원통의 높이를 나타냅니다.

4. 수학 공부에 대한 조언 구하기

챗GPT는 여러분의 수학 공부에 대한 상담도 해줍니다. 더 효율적으로 수학 공부하는 방법, 오답이 발생했을 때 다시 도전하는 방법 등에 대해 조언해줍니다. 또한, 수학 공부로 인해 우울함을 느끼거나 스트레스를 받는 경우에도 함께 이야기해볼 수 있습니다. 수학 공부를 하면서 어려움을 겪을 때, 챗GPT와 함께 문제를 해결해보세요.

하우쌤의
챗GPT 학습법 프롬프트 공식

_____(여러분이 수학공부를 할 때 겪는 문제나 어려움)_____, 어떻게 하면 _____ 할 수 있을까요?"

챗GPT에게 아래와 같이 질문하며, 수학 공부에 대한 상담을 요청해볼 수 있습니다. 챗GPT는 친절하게 여러분이 수학 공부에서 겪는 어려움을 돕기 위해 다양한 조언과 팁을 제공합니다. 수학을 재미있게 배우고, 문제를 해결하는 과정에서 자신감을 갖게 될 수 있도록 도와줍니다.

예시

다음 프롬프트 공식에 따라 실제로 질문해보고 도움을 받아보겠습니다.

_____(여러분이 수학공부를 할 때 겪는 문제나 어려움)_____, 어떻게 하면 _____할 수 있을까요?

 수학 성적이 낮아서 좀 우울합니다. 어떻게 하면 좀 더 잘할 수 있을까요?

ChatGPT 수학 성적이 낮아서 우울하다니, 힘든 시기겠네요. 하지만 좌절하지 마세요! 수학 공부에 필요한 규칙적인 학습과 복습, 그리고 문제 풀이 연습을 통해 성장할 수 있습니다. 또한, 친구나 가족에게 수학 공부를 같이하면서 함께 이해하고, 서로 도움을 주며 해결해보는 것도 좋은 방법입니다. 마지막으로, 성적이 좋아지지 않더라도 자신의 노력과 발전에 집중해보세요. 그리고 실패를 깨닫고 이를 극복하는 과정에서 더욱 강해질 수 있습니다. 함께 응원합니다!

예시 ①

 수학 문제를 풀면서 자꾸 오답이 나와서 좀 답답해요. 어떻게 하면 더 효율적으로 문제를 풀 수 있을까요?

수학 문제를 풀면서 오답이 나오면 좌절감이 들 수 있습니다. 하지만, 효율적인 문제 해결을 위해 몇 가지 방법을 시도해 볼 수 있습니다.

1. 문제를 잘 읽고 이해하기: 문제를 잘못 이해하면 오답이 나올 수 있습니다. 따라서 문제를 꼼꼼하게 읽고 이해한 후 문제를 풀어야 합니다.

2. 문제를 쪼개서 푸는 것 고려하기: 문제를 쪼개서 푸는 것이 더 쉬울 때도 있습니다. 문제를 분해하고, 각각의 부분 문제를 해결한 후, 그 결과를 조합해서 원래 문제를 해결할 수 있습니다.

3. 그림을 그려보기: 수학 문제는 그림으로 표현하면 이해하기 쉬울 때가 많습니다. 따라서 문제를 그림으로 그려보면 더 쉽게 이해할 수 있을 수 있습니다.

4. 비슷한 문제를 찾아보기: 수학 문제는 유형이 반복될 때가 많습니다. 따라서 비슷한 문제를 찾아보고, 그 해결 방법을 익히면 다른 문제를 풀 때 도움이 됩니다.

5. 차근차근 해보기: 문제를 풀 때, 차근차근 해보는 것이 중요합니다. 너무 빠르게 문제를 푸려고 하면 오답이 나올 수 있습니다. 따라서 문제를 천천히 읽고, 한 단계씩 해결해보면 됩니다.

6. 자주 연습하기: 수학 문제는 반복적인 연습이 필요합니다. 따라서 문제를 자주 풀어보면 효율적으로 문제를 풀 수 있게 됩니다.

예시 ②

 수학 문제를 푸는 걸 좋아하지 않습니다. 어떻게 하면 재미있게 수학 공부할 수 있을까요?

 수학 공부를 재미있게 하는 방법은 여러 가지가 있습니다. 몇 가지 아이디어를 드리겠습니다.
ChatGPT

1. 수학 게임: 수학 문제를 게임 형태로 바꾸어서 풀면 재미있을 수 있습니다. 예를 들어, 수학 퍼즐 게임이나 수학 블록 게임 등을 해보세요.

2. 수학 애플리케이션: 수학 학습용 애플리케이션을 설치해서 공부할 수도 있습니다. 이러한 애플리케이션은 문제 해결 능력을 향상시키고, 문제를 푸는 과정에서 점수를 얻는 등의 재미있는 요소가 있습니다.

3. 수학 관련 영상 시청: 수학을 재미있게 배울 수 있는 유튜브 채널이나 온라인 강의를 찾아서 시청해보세요. 이러한 영상들은 수학 개념을 이해하는 데 도움이 되며, 시각적으로 보여주기 때문에 재미있게 공부할 수 있습니다.

4. 문제 해결 대회 참가: 수학 문제 해결 대회에 참가하여 경쟁하면서 수학 문제를 푸는 것도 재미있을 수 있습니다.

5. 수학 친구 만들기: 수학을 재미있게 공부하는 가장 좋은 방법은 수학에 관심 있는 친구들과 함께 공부하는 것입니다. 함께 문제를 풀거나, 서로에게 문제를 내보면서 서로 도와주면서 공부하면 더욱 재미있을 것입니다.

5. 수학 놀이로 수학 즐기기

수학 공부 못지 않게, 여러분이 수학을 재미있게 느끼고 흥미를 유지할 수 있는 것도 중요합니다. 챗GPT와 대화를 하면서 수학 공부에 대한 동기 부여가 될 수 있습니다. 그리고 챗GPT와 여러 가지 수학 놀이를 함께 할 수 있습니다.

그럼 챗GPT와 수학 놀이를 시작해볼까요? 선생님처럼 챗GPT에게 수학 게임을 하자고

할 수 있습니다. 수학 놀이는 문제를 푸는 과정에서 수학적인 논리와 사고를 요구하므로, 수학적인 사고 능력을 강화할 수 있으며, 논리적인 문제 해결 능력도 함께 향상시킬 수 있습니다.

🧑 안녕, 챗GPT! 수학 게임을 하고 싶습니다!

🌼 **ChatGPT** 안녕하세요! 수학 게임을 하고 싶다니, 좋은 생각이네요. 저는 여러 가지 수학 게임을 알고 있어요. 어떤 게임을 해볼까요?

🧑 어떤 수학 게임이 있나요?

🌼 **ChatGPT** 안녕하세요! 수학 게임으로는 24게임, 숫자 야구, 빙고, 수학 퍼즐, 수식 완성 등이 있습니다. 이 중에서 하나를 선택해볼까요?

🧑 24게임에 대해서 설명해주세요

🌼 **ChatGPT** 24게임은 4개의 숫자 카드와 사칙연산 기호를 이용하여 24라는 숫자를 만드는 게임입니다. 게임의 규칙은 다음과 같습니다.

1. 4개의 숫자 카드를 무작위로 뽑습니다.
2. 뽑은 숫자 카드를 조합하여 사칙연산을 이용해 24라는 숫자를 만듭니다.
3. 사용할 수 있는 연산자는 덧셈(+), 뺄셈(−), 곱셈(×), 나눗셈(÷) 입니다.
4. 모든 숫자 카드는 여러 번 사용할 수 있습니다.
5. 소수점 이하의 값을 사용할 수 있지만, 숫자 카드에 적힌 값은 정수입니다.

예를 들어, 숫자 카드가 3, 8, 10, 11일 때, 4개의 숫자 카드를 이용하여 24를 만드는 방법은 다음과 같습니다.

$(11 - 10) \times 3 \times 8 = 24$

이와 같이 24를 만들 수 있는지 없는지를 생각하면서 머리를 쥐어짜는 게임입니다.

그럼 24게임을 시작해볼까요?

좋아요! 24게임을 시작해볼까요? 제가 먼저 문제를 내드릴게요.

다음 숫자를 이용해서 24를 만들어보세요: 6, 6, 3, 1

 (6 + (6 * 3)) * 1

먼저 괄호 안의 계산을 먼저 합니다. 6 * 3 = 18 이므로, 식은 다음과 같이 바뀝니다.

(6 + 18) * 1

그리고 괄호 안의 계산이 끝났으므로 괄호를 없애줍니다.

24 * 1

마지막으로, 24 * 1 = 24 이므로, 최종적으로 결과는 24가 됩니다.

11장

챗GPT와 과학 공부

과학 공부를 하는 여러분은 복잡한 과학 개념과 과학 원리, 그리고 다양한 실험으로 난관에 부딪히곤 합니다. 이번 장에서는 어릴 때부터 과학을 좋아하고 즐기고 공부한 저의 노하우를 담은 내용입니다. 챗GPT를 활용한 과학 공부는 다음과 같은 방법이 있습니다.

• 개념 이해부터 실험 설계와 보고서 작성까지 전반적인 과정에서 도움을 줄 수 있습니다.
• 최신 과학 트렌드와 이슈에 대한 인식을 높일 수 있습니다
• 과학과 관련된 입시 면접 준비에도 도움을 받을 수 있습니다.

과학에 대한 열정과 호기심을 갖고 이번 장에서 얻은 방법들을 챗GPT와 함께 과학 공부를 하고 실생활에 적용하며, 과학 공부의 재미를 알아가기를 바랍니다.

1. 과학 개념 마인드맵 그리기

과학 시험 공부를 시작하거나 계획할 때, 혹은 과학 탐구 대회, 과학 프로젝트를 준비할 때 과학 마인드맵은 필수적입니다. 과학을 공부할 때 개념의 이해하고 그 관련성을 파악하는 것은 중요하기 때문입니다. 이런 점에서 챗GPT의 도움을 받으면, 여러분은 공부해야 하는 다양한 개념을 자연스럽게 이해하고, 이해한 내용을 시각적으로 정리하며, 더욱 효과적으로 과학 공부 효율을 높일 수 있습니다.

하우쌤의
챗GPT 학습법 프롬프트 공식

주제 : _____
수준 : _____
주제와 수준에 맞는 과학 공부용 마인드맵을 만들어주세요.
(중심 아이디어, 주요 아이디어, 서브 아이디어를 리스트 형식으로)

주제와 수준을 정해서 리스트 형식으로 마인드맵을 그릴 수 있습니다. 역학적 에너지 보존에 대한 마인드맵도 다음과 같이 쉽게 만들 수 있습니다.

<hr>

예시

다음 프롬프트 공식에 따라 실제로 질문해보고 도움을 받아보겠습니다.

> 주제 : _____
> 수준 : _____
> 주제와 수준에 맞는 과학 공부용 마인드맵을 만들어주세요.
> (중심 아이디어, 주요 아이디어, 서브 아이디어를 리스트 형식으로)

주제 : 역학적 에너지 보존

수준 : 중학생

주제와 수준에 맞는 과학 공부용 마인드맵을 만들어주세요.

(중심 아이디어, 주요 아이디어, 서브 아이디어를 리스트 형식으로)

ChatGPT

아래는 중학생을 대상으로 한 역학적 에너지 보존 주제의 마인드맵 예시입니다.

– 중심 아이디어: 역학적 에너지 보존
– 주요 아이디어:
1. 역학적 에너지
2. 위치 에너지와 운동 에너지
3. 역학적 에너지 보존 법칙

– 서브 아이디어:
1. 역학적 에너지
　• 정의
　• 단위
　• 종류
　• 계산 방법(역학적 에너지 = 위치 에너지 + 운동 에너지)

 ChatGPT

2. 위치 에너지와 운동 에너지
- 위치 에너지
  - 정의
  - 계산 방법(위치 에너지 = 질량 × 중력 가속도 × 높이)
  - 예시: 높은 곳에 있는 물체
- 운동 에너지
  - 정의
  - 계산 방법(운동 에너지 = $(1/2) ×$ 질량 $×$ 속도^2)
  - 예시: 움직이는 물체

3. 역학적 에너지 보존 법칙
- 원리
- 법칙의 증명
- 예시: 당구공, 탄성 충돌

4. 역학적 에너지 보존 법칙의 응용
- 실생활에서의 예시 (예: 히트카)
- 산업에서의 응용 (예: 에너지 절약)

5. 역학적 에너지 보존 법칙의 한계와 개선 방안
- 한계 (예: 비탄성 충돌)
- 개선 방안 (예: 에너지 저장 장치)

2. 과학 용어 정리 및 참고 자료 검색하기

학교의 과학 시험, 과학 대회를 준비하거나, 과학 동아리 활동을 할 때 과학 용어와 관련된 참고 자료를 찾는 것은 필수입니다. 챗GPT는 여러분이 과학 공부를 하며 다양한 분야의 과학 용어를 이해하고 정리하는 데 도움을 줄 수 있습니다. 그리고 챗GPT는 다양한 과학 분야에 대한 읽기 참고 자료를 제공합니다. 챗GPT를 활용하여 세계의 과학 여러 분야의 논문, 잡지, 학술지를 요약해서 읽으며 참고 자료를 검색하고 과제나 프로젝트를 해결하는 데 도움을 받을 수 있습니다.

하우쌤의
챗GPT 학습법 프롬프트 공식

- 과학 용어 ____(과학 용어)____ 이란 무엇인가요? ← 과학 용어 정의 검색
- 과학 용어 ____(과학 용어)____ 와(과) 관련된 정보 알려주세요. ← 과학 용어에 대한 정보 검색
- 과학 용어 ____(과학 용어)____ 을(를) 사용하는 분야는 어디인가요? ← 과학 용어를 사용하는 분야에 대한 정보 검색
- 과학 용어 ____(과학 용어)____ 와(과) 관련한 과학 논문(연구 보고서, 학술지, 기사)을 검색해줄 수 있나요? ← 과학 관련 참고자료 검색
- ____(과학 용어)____ 을(를) 다룬 해외의 흥미로운 책을 추천해주세요. ← 과학 관련 도서 추천
- ____(과학 실험 방법)____ 와(과) 관련된 해외 참고자료를 추천해주세요. ← 과학 실험방법 관련 참고자료 검색

먼저 어려운 과학 용어나 정보에 대해 물어볼 수 있습니다. 과학 용어에 대한 정의를 검색하는 것은 해당 용어를 이해하고 과학 분야에 대한 이해도를 높이는 데 도움이 됩니다. 과학 용어를 정확히 이해하면, 해당 분야에서 진행되는 실험, 이론 등을 이해하는 데 더욱 수월해집니다.

─────────────── 예시 ───────────────

다음 프롬프트 공식에 따라 실제로 질문해보고 도움을 받아보겠습니다.

과학 용어 ____(과학 용어)____ 이란 무엇인가요? (과학 용어 정의 검색)

 과학 용어 '기체 반응의 법칙'이란 무엇인가요?

ChatGPT
'기체 반응의 법칙'은 기체 상태에서 화학 반응에 참여하는 기체들의 양과 관련된 법칙입니다. 이 법칙은 19세기에 프랑스 화학자 조제프 루이 게이뤼삭(Joseph Louis Gay-Lussac)에 의해 제시되었으며, '게이뤼삭의 법칙(Gay-Lussac's law)' 또는 '기체 볼륨의 법칙'이라고도 합니다. 이 법칙은 기체 상태에서 일정한 압력과 온도 조건에서 화학 반응에 참여하는 기체들의 몰 수 (또는 부피 비율)이 일정한 비율을 가지는 것을 나타냅니다. 즉, 화학 반응에 참여하는 각 기체의 몰 수는 그 기체들의 부피 비율과 같습니다. 이 법칙은 기체 상태에서의 화학 반응을 연구하는 데 매우 중요한 역할을 합니다.
예를 들어, 2L의 수소와 1L의 산소가 있을 때, 이들이 반응하여 생성되는 물의 몰 수는 수소와 산소의 부피 비율에 따라 결정됩니다. 이러한 기체 반응의 법칙은 화학 과학에서 매우 중요한 개념 중 하나입니다.

다음 프롬프트 공식에 따라 실제로 질문해보고 도움을 받아보겠습니다.

과학 용어 _____(과학 용어)_____ 와(과) 관련된 정보 알려주세요. (과학 용어에 대한 정보 검색)

 과학 용어 '소화 기관'과 관련된 정보를 알려주세요. (중학생 수준)

ChatGPT
소화 기관은 식품을 처리하고 영양소를 흡수하는 역할을 담당하는 인체 내의 기관을 말합니다. 식품은 소화 과정을 거쳐 소화기관을 통해 몸속으로 흡수되어 영양소로 변환됩니다. 중학생 수준에서 소화 기관과 관련된 주요한 기관과 용어에 대해 설명해 드리겠습니다.

1. 구역
   소화 기관은 크게 구역으로 나뉘어져 있습니다. 구역은 소화 과정에서 다양한 기능을 수행합니다.
   - 입: 식품이 입으로 들어오는 곳입니다. 입안에는 이를 분쇄하는 치아가 있습니다.

ChatGPT
- 식도: 입에서 시작하여 위로 이어지는 관으로, 식품을 몸통으로 운반하는 역할을 합니다.
- 위: 식도에서 식품을 받아들여 강력한 위액으로 섞어 소화시키는 역할을 합니다.
- 소장: 위에서 소화되지 않은 식품이 들어온 후에 흡수되는 곳으로, 영양소를 흡수합니다.
- 대장: 소장 이후 소화되지 않은 식품의 잔여물을 처리하고 대변을 생성하는 역할을 합니다.

2. 주요 용어
- 소화: 식품을 분해하고 흡수 가능한 형태로 변환하는 과정을 말합니다.
- 소화 효소: 소화 과정에서 화학 반응을 촉진하는 단백질입니다. 소화 효소는 탄수화물, 단백질, 지방 등의 식품 성분을 분해합니다.
- 위산: 위에서 생성되는 강력한 산으로, 식품을 소화하는 역할을 합니다.
- 흡수: 소화 과정에서 소장에서 영양소가 혈액으로 흡수되는 과정을 말합니다.
- 대변: 소화 과정에서 처리되지 못한 식품 잔여물과 소화 분비물이 모인 것을 말합니다.

그리고 챗GPT는 영어로 된 과학 용어를 쉽게 이해시켜 줍니다. 과학 용어를 사용하는 분야에 대한 정보 검색은 해당 분야에서 연구하는 사람들의 언어나 이론을 이해하는 데 도움이 됩니다. 또한, 해당 분야의 연구 동향과 연구 주제 등을 파악하는 데도 도움이 됩니다. 아래는 생명과학 분야에서 자주 등장하는 용어를 검색해 보았습니다.

예시

다음 프롬프트 공식에 따라 실제로 질문해보고 도움을 받아보겠습니다.

과학 용어 _____(과학 용어)_____ 을(를) 사용하는 분야는 어디인가요? (과학 용어를 사용하는 분야에 대한 정보 검색)

과학 용어 '유전자 가위'를 사용하는 분야는 어디인가요? (고등학교 수준)

과학 용어 '유전자 가위'는 현재의 생명과학 분야에서 많이 사용되는 용어입니다. 이 용어는 유전자 편집 기술 중 하나로, DNA 분자를 특정 부위에서 자르고 수정할 수 있는 도구를 의미합니다.
유전자 가위는 유전체 공학, 유전자 염기서열 조작, 유전자 치료 등 다양한 분야에서 사용됩니다. 일반적으로 고등학교 수준에서는 생물학 수업에서 다루는 주제로 포함되어 있습니다. 예를 들어, 유전자 가위를 이용한 유전자 조작 기술을 통해 유전적인 질환을 치료하는 방법이나 유전자 변이의 발생과정, 생명체의 특성을 조절하는 방법 등을 학습할 수 있습니다.
유전자 가위 기술은 생명과학 분야에서 빠르게 발전하고 있으며, 유전자 조작을 통해 다양한 연구와 응용이 이루어지고 있습니다. 이러한 기술의 이해는 현대 생명과학의 기초를 이해하는 데 중요한 역할을 합니다.

그리고 과학 용어에 대해 더 자세히 공부할 수 있는 '과학 학술지'를 검색해볼 수도 있습니다. 이렇게 하면 과학 분야에서의 최신 연구 주제와 방법 등을 이해하고, 더 나아가 해당 분야에서 진행되는 연구에 대한 관심을 높일 수 있습니다. 국가를 지정해주면 해당 국가의 학술지를 검색할 수 있습니다. 이때 '학술지가 실제로 존재하는지'를 꼭 검색을 통해 찾아보아야 합니다. 챗GPT에게 링크나 웹사이트를 요청해 실제로 과학 학술지를 볼 수 있는지 확인해봅시다.

─────────── 예시 ───────────

다음 프롬프트 공식에 따라 실제로 질문해보고 도움을 받아보겠습니다.

과학 용어 _____(과학 용어)_____ 와(과) 관련한 과학 논문(연구 보고서, 학술지, 기사)을 검색해줄 수 있나요? (과학 관련 참고자료 검색)

수준 : 중학생

과학 용어 '뉴런'과 관련한 과학 학술지를 검색해줄 수 있나요?

ChatGPT 네, 뉴런과 관련한 과학 학술지를 검색해 드릴 수 있습니다. 아래는 뉴런과 관련한 과학 학술지 몇 가지 예시입니다.

1. Neuron (Cell Press): 뇌과학 분야에서 권위 있는 학술지 중 하나인 Neuron은 뉴런, 신경회로, 인지과학, 뉴로신경외과학 등 다양한 분야에서 최신 연구결과를 발표합니다.
2. Journal of Neuroscience(Society for Neuroscience): 신경과학 분야의 학술지 중 하나인 Journal of Neuroscience는 뉴런과 관련된 다양한 주제를 다루고 있습니다.
3. Nature Neuroscience(Nature Research): 뇌과학 및 인지과학 분야에서 유명한 학술지 중 하나인 Nature Neuroscience는 뉴런과 관련된 최신 연구결과와 이론적 논문 등을 발표합니다.
4. Frontiers in Neural Circuits(Frontiers Media): 뉴런을 포함한 신경회로에 관한 연구결과와 이론적 논문 등을 발표하는 학술지입니다.
5. Neural Computation(MIT Press): 신경회로 및 인지과학 분야에서 연구를 수행하는 전문가들을 위한 학술지로, 뉴런 및 인공신경망 연구 등을 다룹니다.

수준 : 중학생

국가 : 대한민국

과학 용어 '뉴런'과 관련한 과학 학술지를 검색해줄 수 있나요?

ChatGPT 네, 대한민국에서 발행되는 뉴런과 관련된 과학 학술지를 검색해 드릴 수 있습니다. 아래는 몇 가지 예시입니다.

1. 한국뇌신경과학회지(Journal of the Korean Society for Brain and Neural Science): 대한민국에서 뇌신경과학 분야의 학술지 중 하나인 한국뇌신경과학회지는 뉴런, 신경회로, 인지과학 등 다양한 분야의 연구결과를 발표합니다.
2. 한국인지과학회지(Journal of Korean Society for Cognitive Science): 뉴런을 비롯한 인지과학 분야의 최신 연구결과 및 이론적 논문 등을 발표하는 학술지입니다.
3. 생물정보학회지(Journal of the Korean Society for Bioinformatics): 뉴런과 관련된 유전체 데이터 분석 등을 포함한 생물정보학 연구결과를 발표하는 학술지입니다.

그리고 여러분이 관심 있는 분야의 영문 서적을 추천받을 수 있습니다. 우리나라의 서적은 수집된 데이터가 오류가 많으므로, '해외 서적'을 추천받는 것이 좋습니다. 그리고 이런 해외 서적들은 해외 온라인 서점의 e-book 형태로 곧바로 다운받아서 읽어볼 수 있습니다. 한글이 아니더라도 번역 프로그램으로 번역해서 필요한 내용을 쉽게 이해할 수 있습니다. 챗GPT의 답변을 활용하면서도 항상 인터넷 서점이나 도서관 등에서 검색해보거나 선생님 또는 도서관 직원 등 전문가에게 도움을 요청할 수 있습니다. 그리고 다른 정보들과 비교해보며 적극적으로 탐구하고, 학습하는 태도를 유지하는 것이 좋습니다.

─────────────────── 예시 ───────────────────

다음 프롬프트 공식에 따라 실제로 질문해보고 도움을 받아보겠습니다.

_____(과학 용어)_____ 을(를) 다룬 해외의 흥미로운 책을 추천해주세요. (과학 관련 도서 추천)

> 🧑 **수준 : 중학생**
> 원소 주기율표를 다룬 해외의 흥미로운 책을 추천해주세요.

> 🤖 중학생들을 위한 원소 주기율표를 다룬 해외의 흥미로운 책을 추천해드리겠습니다.
> ChatGPT
>
> 1. "The Disappearing Spoon: And Other True Tales of Madness, Love, and the History of the World from the Periodic Table of the Elements" (저자: Sam Kean, 출판사: Back Bay Books): 이 책은 원소 주기율표를 바탕으로 한 인간의 역사와 과학의 이야기를 담고 있습니다. 원소의 발견과 역사, 화학 반응 등을 다루며, 여러 가지 실제 예시를 들어 설명하고 있습니다.
> 2. "The Periodic Table: A Visual Guide to the Elements" (저자: Gail Dixon, 출판사: DK): 이 책은 원소 주기율표와 원소들의 특성을 시각적으로 보여주고 있습니다. 각 원소의 화학적 성질, 용도 등을 설명하며, 원소 주기율표의 구성과 응용 등에 대한 이야기도 담고 있습니다.

 3. "The Elements: A Visual Exploration of Every Known Atom in the Universe" (저자: Theodore Gray, Nick Mann, 출판사: Black Dog & Leventhal): 이 책은 원소 주기율표를 기반으로 원소들의 세부 정보를 시각적으로 보여주고 있습니다. 각 원소의 특성, 역사, 사용 등을 다루며, 그림과 사진 등을 통해 이해하기 쉽게 구성되어 있습니다.

4. "The Mystery of the Periodic Table" (저자: Benjamin D. Wiker, Jeanne Bendick, 출판사: Bethlehem Books): 이 책은 원소 주기율표와 원소들의 성질을 이해하기 위한 역사적인 이야기를 다루고 있습니다. 원소의 발견과 역사, 그리고 원소의 성질을 이해하는 데 필요한 실험 등을 다루며, 다양한 그림과 사진을 통해 설명하고 있습니다.

5. "The Periodic Table Book: A Visual Encyclopedia of the Elements" (저자: DK, 출판사: DK): 이 책은 원소 주기율표를 기반으로 원소들의 성질과 사용 등을 시각적으로 보여주고 있습니다. 각 원소의 특징, 역사, 사용 등을 다루며, 그림과 사진 등을 통해 이해하기 쉽게 구성되어 있습니다.

학교에서 과학 공부를 하다 보면 다양한 그림 참고자료가 필요할 때가 있습니다. 우리나라의 교과서나 문제집에서 보는 실험장치나 그림은 익숙하므로, 해외의 다양한 참고 자료를 검색해서 다양한 과학 실험 방법에 대한 이해와 응용 능력을 향상시키고, 더 나아가 과학적인 사고 방식을 향상시킬 수 있습니다.

―――――――――――――――(예시)―――――――――――――――

다음 프롬프트 공식에 따라 실제로 질문해보고 도움을 받아보겠습니다.

_____(과학 실험 방법)_____ 와(과) 관련된 해외 참고자료를 추천해주세요. (과학 실험방법 관련 참고자료 검색)

 수준: 고등학생

특징: 이해하기 쉽게 쓰인, 그림과 사진 자료가 많은, 실제 사이트에서 구입할 수 있는 과학 실험 방법과 관련된 해외 참고자료를 추천해주세요.

ChatGPT 고등학생을 대상으로 이해하기 쉽게 쓰인, 그림과 사진 자료가 많은 과학 실험 방법과 관련된 해외 참고자료를 추천해드립니다.

1. "Science Buddies" (https://www.sciencebuddies.org/): 이 웹사이트는 다양한 과학 실험 아이디어와 자료, 그리고 가이드를 제공합니다. 실험 과정과 결과를 이해하기 쉬운 그림과 사진으로 나타내어, 고등학생들에게 매우 유용한 자료입니다.
2. "Exploratorium" (https://www.exploratorium.edu/snacks): 이 웹사이트는 소규모 실험 및 미니 실험, 그리고 예술과 과학 등 다양한 주제를 다루는 실험 가이드를 제공합니다. 실험에 필요한 자료와 재료도 함께 제공하므로, 실제 실험을 해보고자 하는 학생들에게 적극 추천합니다.
3. "Science Bob" (https://sciencebob.com/category/experiments/): 이 웹사이트는 쉽고 재미있는 과학 실험 아이디어와 가이드를 제공합니다. 실험 과정을 단계별로 나타내어 이해하기 쉽게 구성되어 있으며, 그림과 사진으로 실험 결과를 시각적으로 이해할 수 있습니다.
4. "Science Sparks" (https://www.science-sparks.com/): 이 웹사이트는 다양한 주제와 레벨에 따른 과학 실험 가이드를 제공합니다. 실험 과정을 쉽게 이해할 수 있는 그림과 사진, 그리고 동영상을 제공하므로, 고등학생들의 과학 실험 학습에 매우 유용합니다.

3. 과학 탐구 실험 및 보고서 작성하기

여러분은 챗GPT를 활용하여 실험 설계와 분석 방법을 검색하고 이를 참고하여 실험을 진행할 수 있습니다. 그리고 챗GPT를 활용하여 실험에 필요한 재료와 도구를 검색하고, 실험 결과를 분석하고 해석하는 방법을 배울 수 있습니다. 그리고 챗GPT는 과학 실험 보고서 작성에 필요한 내용을 검색하여 보고서를 작성하는 데에 도움을 줄 수 있습니다. 여러분은 챗GPT를 활용하여 실험 보고서를 쉽게 작성할 수 있습니다.

(1) 과학 탐구 주제 찾기

챗GPT를 사용하여 과학 탐구 주제를 찾는 경우, 주제와 관련된 키워드를 입력하면, 챗GPT가 해당 키워드와 관련된 다양한 정보와 아이디어를 추천해줍니다. 또한, 챗GPT는 과학 탐구 주제를 선택할 때 고려해야 할 사항, 실험을 진행할 때 유의할 점 등도 제공해줄 수 있습니다.

하우쌤의

챗GPT 학습법 프롬프트 공식

- _____(관심 분야)_____ 에서 무엇을 연구할 수 있을까요?
- _____(관심 분야)_____ 을(를) 다루는 연구 주제는 무엇이 있을까요?
- ____(과학적 원리나 법칙)____ 을(를) 활용하여 어떤 과학 프로젝트를 진행할 수 있을까요?
- _____(과학적 분석 방법)_____ 을(를) 사용하여 어떤 연구 주제를 탐구할 수 있을까요?

챗GPT를 이용하여 과학 분야에서 탐구할 주제를 찾는 것은 빠르고 편리합니다. 챗GPT는 다양한 정보 소스를 활용하여 최신 동향이나 인기 있는 주제 등을 추천해줄 수 있으며, 여러분은 이를 바탕으로 자신이 관심 있는 주제를 선택할 수 있습니다. 이때는 다음 예시와 같이 '관심 분야, 과학적 기술, 과학적 원리나 법칙, 과학적 분석 방법'을 함께 적어두면 더 구체적인 주제를 추천받을 수 있습니다.

─────────────────── 예시 ───────────────────

다음 프롬프트 공식에 따라 실제로 질문해보고 도움을 받아보겠습니다.

_____(관심 분야)_____ 에서 무엇을 연구할 수 있을까요?

수준 : 중학생

환경 분야에서 무엇을 연구할 수 있을까요? (리스트 형식)

네, 환경 분야에서 연구할 수 있는 주제를 나열해 드리겠습니다.

ChatGPT

1. 대기 오염 원인 및 대책 연구
2. 지구 온난화 원인과 영향 분석
3. 자연 생태계 보호 및 복원 연구
4. 재생 에너지 개발과 보급 방안 연구

 5. 폐기물 관리 및 처리 연구
6. 수질 오염 분석과 대책 연구
7. 도시화와 생태계 상호작용 연구
8. 생태계 변화에 따른 생물 다양성 변화 연구
9. 지속 가능한 농업 및 양식 연구
10. 해양 생태계 보호 및 관리 연구

예시

다음 프롬프트 공식에 따라 실제로 질문해보고 도움을 받아보겠습니다.

_____(관심 분야)_____ 을(를) 다루는 연구 주제는 무엇이 있을까요?

 수준 : 중학생
기후 위기를 다루는 연구 주제는 무엇이 있을까요? (리스트 형식)

네, 기후 위기를 다루는 연구 주제를 나열해 드리겠습니다.

1. 온실 가스 배출원 조사 및 감축 방안 연구
2. 지구 기온 상승 원인 분석
3. 온난화와 기후 변화의 지구 생태계 영향 분석
4. 대기 오염과 기후 변화의 상관 관계 연구
5. 지속 가능한 재생 에너지 개발과 보급 방안 연구
6. 탄소 중립화 전략 연구
7. 기후 변화로 인한 식량 안보 문제 대응 방안 연구
8. 해양 산성화 문제에 대한 대응 방안 연구
9. 지구 환경과 경제 발전의 균형을 맞추는 기후 정책 연구
10. 기후 변화 예측 및 대응 시스템 개발 연구

━━━━━━━━━━━━━━━━━ 예시 ━━━━━━━━━━━━━━━━━

다음 프롬프트 공식에 따라 실제로 질문해보고 도움을 받아보겠습니다.

_____(과학적 원리나 법칙)_____ 을(를) 활용하여 어떤 과학 프로젝트를 진행할 수 있을까요?

 무아레(Moire) 무늬를 활용하여 어떤 과학 프로젝트를 진행할 수 있을까요? (고등학생 수준)

 ChatGPT 무아레 무늬는 수학 및 과학 분야에서 다양하게 활용되는 패턴 중 하나입니다. 이러한 무늬를 활용하여 다양한 과학 프로젝트를 진행할 수 있습니다. 몇 가지 예시를 들어보겠습니다.

1. 광학학: 무아레 무늬를 활용하여 광학학 실험을 진행할 수 있습니다. 무늬가 나타내는 광학적 특성을 측정하고 분석하여 다양한 광학 재료나 기술을 개발할 수 있습니다.
2. 소리 및 진동: 무아레 무늬를 활용하여 소리나 진동의 특성을 연구할 수 있습니다. 무늬를 흔들거나 떨어뜨려서 나타나는 소리나 진동의 빈도 및 진폭을 측정하고 분석하여 소리나 진동에 대한 이해를 높일 수 있습니다.
3. 화학: 무아레 무늬를 활용하여 화학 실험을 진행할 수 있습니다. 무늬가 나타내는 화학적 특성을 분석하고 이를 활용하여 다양한 화학 물질의 합성과 반응에 대한 이해를 높일 수 있습니다.
4. 생명과학: 무아레 무늬를 활용하여 생명과학 실험을 진행할 수 있습니다. 무늬의 모양과 크기 등을 조절하여 세포 배양 등의 실험에 활용할 수 있습니다.

━━━━━━━━━━━━━━━━━ 예시 ━━━━━━━━━━━━━━━━━

다음 프롬프트 공식에 따라 실제로 질문해보고 도움을 받아보겠습니다.

_____(과학적 분석 방법)_____ 을(를) 사용하여 어떤 연구 주제를 탐구할 수 있을까요?

 분자 생물학을 활용하여 어떤 연구 주제를 탐구할 수 있을까요? (고등학생 수준)

ChatGPT 분자 생물학은 분자 수준에서 생명 현상을 이해하는 학문 분야로, DNA, RNA, 단백질 등 생체 분자를 연구하는 분야입니다. 아래는 분자 생물학을 활용하여 탐구할 수 있는 연구 주제 몇 가지입니다.

- DNA의 역사와 구조 분석
- 유전자 변이 및 돌연변이 연구
- 유전자 발현 조절 및 제어 기작 탐구
- 효소와 대사 경로 연구
- 질병 유전자 탐색 및 치료제 개발
- 바이오마커를 활용한 질병 진단 및 예측

이 외에도 분자 생물학은 다양한 분야에서 활용될 수 있으며, 현재는 유전체 연구와 연골 재생 등의 연구에서 높은 관심을 받고 있습니다.

(2) 과학 탐구 방법 찾기

여러분은 탐구 주제를 선정하고, 탐구 동기, 문제, 이론적 배경을 정리합니다. 그리고 본격적으로 탐구에 들어가기 위해 탐구 방법으로 과학 실험을 설계하고, 실험 방법이나 데이터 분석 방법 등을 찾습니다. 이때 챗GPT를 활용하여 더 쉽게 원하는 정보를 얻을 수 있습니다. 또한, 탐구에 적합한 실험 아이디어를 찾는 데도 유용하게 활용될 수 있습니다.

하우쌤의
챗GPT 학습법 프롬프트 공식

- 실험: _____(실험 이름)_____
  이 실험에서 어떻게 하면 더 정확한 결과를 얻을 수 있나요?
- _____(과학 현상)_____ 을(를) 분석하는 좋은 실험 방법이 있나요?
- _____(실험 이름)_____ 에서 종속변인, 통제변인, 조작변인은 무엇인가요?
- _____(가설 내용)_____. 이 가설을 검증하기 위한 실험을 설계해주세요.

챗GPT에게 아래와 같은 질문을 하면, 여러분들은 실험 과정을 설계하거나 장치를 설치할 때 더욱 효과적으로 선택하고, 실험 과정에서 발생할 수 있는 오류를 줄이며, 더욱 정확한 실험 결과를 얻을 수 있도록 도움을 받을 수 있습니다.

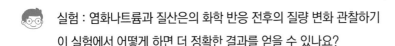

다음 프롬프트 공식에 따라 실제로 질문해보고 도움을 받아보겠습니다.

> 실험: _____(실험 이름)_____
> 이 실험에서 어떻게 하면 더 정확한 결과를 얻을 수 있나요?

🧑 실험 : 염화나트륨과 질산은의 화학 반응 전후의 질량 변화 관찰하기

이 실험에서 어떻게 하면 더 정확한 결과를 얻을 수 있나요?

🤖 이 실험에서 더 정확한 결과를 얻기 위해서는 다음과 같은 방법을 고려할 수 있습니다.
ChatGPT
1. 실험 도구의 정확한 측정: 실험에 사용되는 도구들, 예를 들어 질량계와 유리 용기, 그리고 염화나트륨과 질산의 정량적으로 적정한 농도 등의 측정값들이 가능한 한 정확해야 합니다.
2. 실험 환경의 통제: 반응이 일어나는 온도, 습도 등의 실험 환경을 일정하게 유지하여 반응 조건이 최대한 일정하도록 통제해야 합니다.
3. 실험 반복: 반복적으로 실험을 수행하고 결과를 분석하여 평균값을 산출하여 더욱 정확한 결과를 얻을 수 있습니다.
4. 데이터 분석: 실험 결과를 수집하고 정리하여 그래프나 표로 나타내어 데이터 분석을 수행해야 합니다. 이를 통해 실험의 결과를 정확하게 평가하고 논의할 수 있습니다.

챗GPT는 실험 결과를 분석하고 해석하는 방법에 대한 정보를 제공해줄 수 있으며, 실험 결과를 더욱 정확하게 이해할 수 있습니다. 여러분이 계획한 실험과 챗GPT가 추천한 실험 방법을 비교해가며 과학 공부를 할 수도 있습니다.

다음 프롬프트 공식에 따라 실제로 질문해보고 도움을 받아보겠습니다.

_____(과학 현상)_____ 을(를) 분석하는 좋은 실험 방법이 있나요?

여러 가지 물체의 자유 낙하 운동을 분석하는 좋은 실험 방법이 있나요?

물체의 자유 낙하 운동을 분석하는 실험은 중력과 운동의 기본 원리를 이해하는 데 중요합니다.
ChatGPT 다음은 물체의 자유 낙하 운동을 분석하는 좋은 실험 방법 몇 가지입니다.

1. 낙하 거리 측정: 일정한 높이에서 다양한 무게를 가진 물체를 떨어뜨리고, 각각의 물체가 땅에 닿는 거리를 측정합니다. 이를 통해 물체의 무게와 낙하 거리 사이의 관계를 이해할 수 있습니다.
2. 낙하 시간 측정: 물체를 일정한 높이에서 떨어뜨리고, 물체가 땅에 닿는 시간을 측정합니다. 이를 통해 낙하 시간과 물체의 무게와 높이 사이의 관계를 이해할 수 있습니다.
3. 공기 저항 실험: 동일한 크기와 무게를 가진 두 개의 물체를 같은 높이에서 떨어뜨립니다. 하나는 공기 저항을 고려하지 않은 상태에서, 다른 하나는 공기 저항을 고려한 상태에서 떨어뜨립니다. 이를 통해 공기 저항이 물체의 낙하 운동에 미치는 영향을 이해할 수 있습니다.
4. 물체 모양 실험: 동일한 무게를 가진 다양한 모양의 물체를 같은 높이에서 떨어뜨리고, 각각의 물체가 땅에 닿는 시간을 측정합니다. 이를 통해 물체의 모양이 물체의 낙하 운동에 미치는 영향을 이해할 수 있습니다.

여러분이 실험할 때 여러 가지 변인을 설정하는 것이 중요합니다. 챗GPT는 실험에서 사용되는 종속변인, 통제변인, 조작변인의 개념과 각각의 역할에 대한 정보를 제공해줄 수 있으며, 이를 바탕으로 실험을 더욱 체계적으로 설계하고, 수행하는 데 도움을 줍니다.

예시

다음 프롬프트 공식에 따라 실제로 질문해보고 도움을 받아보겠습니다.

> _____(실험 이름)_____ 에서 종속변인, 통제변인, 조작변인은 무엇인가요?

> 기체의 압력에 따른 기체의 부피 변화를 측정하는 실험에서 종속변인, 통제변인, 조작변인은 무엇인가요?

> **ChatGPT** 기체의 압력에 따른 기체의 부피 변화를 측정하는 실험에서 종속변인은 기체의 부피이며, 이는 압력에 따라 변화됩니다. 통제변인은 실험을 진행하는 환경과 상황입니다. 실험할 때, 압력 변화 외에 다른 요소들은 일정하게 유지되어야 합니다. 조작변인은 압력입니다. 실험자가 조작할 수 있는 변수이며, 압력을 증가 또는 감소시켜 기체의 부피 변화를 측정합니다.

챗GPT는 실험에서 사용될 수 있는 다양한 실험 도구나 장치, 실험 방법 등에 대한 다양한 정보를 제공해줄 수 있으며, 여러분은 교과서 실험 외에 활용할 수 있는 대체 실험을 할 수 있습니다.

예시

다음 프롬프트 공식에 따라 실제로 질문해보고 도움을 받아보겠습니다.

> _____(가설 내용)_____. 이 가설을 검증하기 위한 실험을 설계해주세요.

> 가설 : 마찰력은 무게에 비례해서 커질 것이다.
> 이 가설을 검증하기 위한 실험을 설계해주세요.

ChatGPT

가설: 마찰력은 무게에 비례해서 커질 것이다.

실험 절차:
1. 질량 1kg, 2kg, 3kg의 물체를 준비한다.
2. 각 물체에 대해 마찰계를 이용하여 마찰력을 측정한다.
3. 마찰력과 무게 사이의 관계를 그래프로 나타낸다.
4. 그래프에서 추세선을 그리고, 추세선의 기울기를 계산한다.
5. 마찰력과 무게 사이의 관계를 분석하고, 가설이 참인지 거짓인지 결론을 도출한다.

통제변인:
– 마찰계의 종류와 상태
– 물체의 재질과 상태
– 마찰계와 물체 사이의 접촉면적
– 실험 환경(온도, 습도, 기압 등)

조작변인:
– 물체의 무게 (1kg, 2kg, 3kg)

종속변인:
– 마찰력

(3) 과학 실험 결과 해석하기

챗GPT는 다양한 과학 분야에 대한 정보를 가지고 있기 때문에, 과학 실험 결과를 해석하는 데 도움을 줄 수 있습니다. 실험 결과를 입력하면 챗GPT가 유사한 연구나 선행 연구를 검색하여 실험 결과를 해석할 수 있는 방향을 제시할 수 있습니다. 또한, 실험 결과에 대한 질문이나 의문점을 입력하면 관련된 정보를 검색하여 해결책을 제시할 수도 있습니다.

하우쌤의
챗GPT 학습법 프롬프트 공식

_____ (실험 결과) _____

위의 결괏값은 _____(실험 주제)_____을(를) 측정한 실험 결과입니다. 실험의 결과를 자세히 해석해 주세요.

아래의 순서대로 따라 하고 챗GPT를 활용해서 질문해보세요. 여러분은 엑셀 파일에 기록한 실험 결과를 더욱 심도 있게 분석하고, 실험 결과를 해석하는 방법을 배울 수 있습니다.

예시

다음 프롬프트 공식에 따라 실제로 질문해보고 도움을 받아보겠습니다.

_____ (실험 결과) _____

위의 결괏값은 _____(실험 주제)_____을(를) 측정한 실험 결과입니다. 실험의 결과를 자세히 해석해주세요.

❶ 실험 결과를 엑셀 파일에 기록합니다.

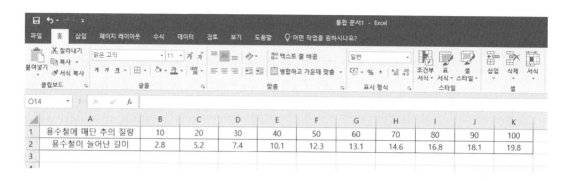

	A	B	C	D	E	F	G	H	I	J	K
1	용수철에 매단 추의 질량	10	20	30	40	50	60	70	80	90	100
2	용수철이 늘어난 길이	2.8	5.2	7.4	10.1	12.3	13.1	14.6	16.8	18.1	19.8
3											

❷ 기록한 결괏값을 마우스로 드래그한 뒤, 마우스 오른쪽 버튼을 누르고, 복사(Ctrl + C)
합니다.

	A	B	C	D	E	F	G	H	I	J	
1	용수철에 매단 추의 질량	10	20	30	40	50	60	70	80	90	10
2	용수철이 늘어난 길이	2.8	5.2	7.4	10.1	12.3	13.1	14.6	16.8	18.1	19.8

❸ 챗GPT의 채팅창에 붙여넣기(Ctrl + V)합니다.

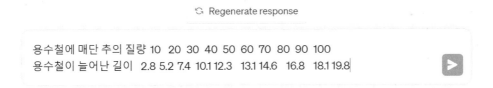

↻ Regenerate response

용수철에 매단 추의 질량 10 20 30 40 50 60 70 80 90 100
용수철이 늘어난 길이 2.8 5.2 7.4 10.1 12.3 13.1 14.6 16.8 18.1 19.8|

❹ 챗GPT에 다음과 같이 실험 결과 해석을 요청하는 질문을 하고 Enter↵를 누릅니다.

용수철에 매단 추의 질량   10   20   30   40   50   60   70   80   90   100
용수철이 늘어난 길이   2.8   5.2   7.4   10.1   12.3   13.1   14.6   16.8   18.1   19.8

위의 결괏값은 '용수철에 매단 추의 질량에 따른 용수철의 늘어난 길이'를 측정한 실험 결과입니다.
실험의 결과를 자세히 해석해주세요.

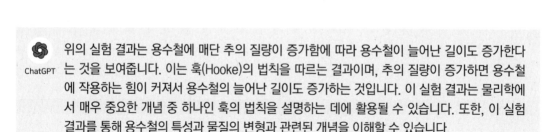

위의 실험 결과는 용수철에 매단 추의 질량이 증가함에 따라 용수철이 늘어난 길이도 증가한다는 것을 보여줍니다. 이는 훅(Hooke)의 법칙을 따르는 결과이며, 추의 질량이 증가하면 용수철에 작용하는 힘이 커져서 용수철의 늘어난 길이도 증가하는 것입니다. 이 실험 결과는 물리학에서 매우 중요한 개념 중 하나인 훅의 법칙을 설명하는 데에 활용될 수 있습니다. 또한, 이 실험 결과를 통해 용수철의 특성과 물질의 변형과 관련된 개념을 이해할 수 있습니다.

❺ 챗GPT에게 이론적으로 많이 벗어난 실험 결괏값을 찾게 하고 오차의 원인을 물어볼 수 있습니다.

위의 실험에서 이론적으로 많이 벗어난 실험 결과는 어떤 것인가요? 그렇게 오차가 생긴 이유는 무엇일까요?

해당 실험에서 이론값은 용수철이 늘어나는 길이와 단위 질량당 길이의 비례관계인 훅의 법칙을 따르게 됩니다. 따라서 실험에서 얻은 결과와 비교하여 오차가 가장 큰 부분을 분석해보면, 40g과 50g의 추를 사용한 부분에서 이론값과 가장 큰 차이가 있습니다. 이 부분에서 오차가 발생한 이유는 몇 가지 요인이 있을 수 있습니다.

첫째, 실험 중에 사용된 용수철의 상태가 변했을 수 있습니다. 이론적으로는 용수철이 탄성 복원력을 가지기 때문에, 실험에서 측정한 늘어난 길이와 단위 질량당 길이는 정확히 비례해야 합니다. 그러나 용수철이 변형되거나 탄성 복원력이 감소하면 이러한 비례관계가 깨질 수 있습니다.

둘째, 실험 도중에 무게나 길이 등을 측정하는데 오차가 발생할 수 있습니다. 실험에서 사용된 추의 질량이나 용수철의 길이 등을 정확하게 측정하지 못하면 이론값과 비교했을 때 오차가 발생할 수 있습니다.

셋째, 실험 환경에서의 온도나 기압 등의 조건 변화도 오차의 원인이 될 수 있습니다. 이러한 환경 요인들이 실험 결과에 영향을 미치면, 이론값과 비교했을 때 오차가 발생할 수 있습니다.

(4) 참고문헌 조사하기

챗GPT는 여러분이 과학 탐구 실험을 할 때 필요한 참고문헌을 조사하는 데 도움이 됩니다. 과학 탐구 주제나 실험 계획을 하거나 실험 도중 관련 정보를 찾기 위해 인터넷

검색을 하거나, 학교 또는 도서관에서 참고할 수 있는 책을 찾는 일이 자주 생깁니다. 챗GPT는 여러분의 이런 어려움을 쉽게 덜어줍니다.

하우쌤의
챗GPT 학습법 프롬프트 공식

- _____(실험 이름)_____ 실험에 대한 최신 논문을 찾는 방법은 무엇인가요?
- _____(과학 개념)_____ 에 대한 실험을 진행하는데 필요한 과학 실험 기구 목록을 찾으려면 어떻게 해야 하나요?
- _____(참고문헌의 내용)_____ 을(를) 학습할 수 있는 참고 자료는 어디에서 찾을 수 있나요?

챗GPT가 추천한 참고문헌을 통해 과학자들이 이미 검증한 과학적 지식을 얻을 수 있고, 최신 과학 연구 결과와 동향을 알아볼 수 있습니다. 그리고 다양한 참고문헌 속 연구 결과를 비교 분석하면서 좀 더 객관적이고 타당한 판단을 내릴 수 있습니다. '수준, 조건, 실험 이름, 과학 개념'을 구체적으로 써주면 더 구체적인 답변을 얻을 수 있습니다. 하지만 챗GPT가 항상 100% 정확한 정보를 제공하지 못하므로, 항상 다른 출처와 비교하고, 챗GPT가 제시하는 정보에 대해 비판적으로 생각하고 어떤 정보가 타당한지 평가해야 합니다. 실제 접속 가능한 링크를 다시 물어서 정확한 정보를 얻도록 합니다. 아래에 예시를 4가지 준비했습니다.

예시

다음 프롬프트 공식에 따라 실제로 질문해보고 도움을 받아보겠습니다.

_____(실험 이름)_____ 실험에 대한 최신 논문을 찾는 방법은 무엇인가요?

 수준 : 고등학생

갈릴레이의 경사면 실험에 대한 최신 논문을 찾는 방법은 무엇인가요?

ChatGPT 갈릴레이의 경사면 실험에 대한 최신 논문을 찾기 위해서는 다음과 같은 방법을 추천합니다.

1. 학술 검색 엔진 활용하기: Google Scholar나 PubMed과 같은 학술 검색 엔진에서 "Galileo Galilei inclined plane experiment"와 같은 검색어를 사용하여 논문을 검색합니다. 검색 결과를 통해 최신 논문을 찾을 수 있습니다.
2. 학술지 검색하기: 해당 실험 분야의 학술지에서 최신 논문을 찾을 수 있습니다. 각 학술지의 웹사이트에서 논문 검색 기능을 사용하여 최신 논문을 찾아볼 수 있습니다.
3. 연구자 검색하기: 해당 분야의 연구자나 전문가를 검색하여 최신 논문을 확인할 수 있습니다. 연구자의 이름과 연구 주제를 검색하거나, 해당 분야의 컨퍼런스나 세미나에 참여하여 최신 연구 동향을 파악할 수도 있습니다.

 예시

다음 프롬프트 공식에 따라 실제로 질문해보고 도움을 받아보겠습니다.

_____(과학 개념)_____ 에 대한 실험을 진행하는데 필요한 과학 실험 기구 목록을 찾으려면 어떻게 해야 하나요?

 수준 : 중학생

혈액형에 대한 실험을 진행하는 데 필요한 과학 실험 기구 목록을 찾으려면 어떻게 해야 하나요?

ChatGPT 혈액형에 대한 실험을 진행할 때 일반적으로 사용되는 실험 기구 목록은 다음과 같습니다.

1. 혈액 채취 도구(주사기, 면역 방어 장치 등)
2. 혈액 검사 키트(혈액형 검사 키트, 항원 및 항체 검사 키트 등)
3. 혈액 분석기(자동화된 혈액 분석기)
4. 혈액 샘플 용기(혈액 샘플 용기, 시약 용기 등)

다음 프롬프트 공식에 따라 실제로 질문해보고 도움을 받아보겠습니다.

___(참고 문헌의 내용)___ 을(를) 학습할 수 있는 참고 자료는 어디에서 찾을 수 있나요?

예시 ①

수준 : 고등학생

조건 : 해외사이트, 간단한 내용 설명 포함, 3가지

과학 실험 보고서 작성 방법을 학습할 수 있는 참고 자료는 어디에서 찾을 수 있나요?

ChatGPT

1. Purdue Online Writing Lab (OWL): https://owl.purdue.edu/owl/research_and_citation/ conducting_research/index.html
   − Purdue 대학교에서 운영하는 온라인 라이팅 랩에서는 과학 실험 보고서 작성 방법에 대한 많은 정보와 예시를 제공합니다.

2. Science Buddies: https://www.sciencebuddies.org/science-fair-projects/science-fair/ writing-a-science-fair-project-research-plan
   − Science Buddies는 과학 실험을 위한 프로젝트 아이디어 및 보고서 작성에 대한 정보를 제공하는 미국 교육기관입니다.

예시 ②

 수준 : 고등학생
과학 실험 결과 분석 방법을 학습할 수 있는 참고 자료는 어디에서 찾을 수 있나요?

ChatGPT
과학 실험 결과 분석 방법을 학습할 수 있는 참고 자료는 과학 연구에 대한 학술지, 교과서, 온라인 과학 커뮤니티, 과학 교육 웹사이트 등에서 찾을 수 있습니다. 또한, 고등학교 과학 교육에서는 실험 결과 분석에 대한 교육도 진행되므로 학교 교사나 도서관에서도 유용한 참고 자료를 얻을 수 있습니다. 이러한 자료들은 실험 결과 분석 방법, 실험의 오차 분석, 실험의 믿을 만한 정확성 검증 등에 대한 지침을 제공하며, 학생들이 과학 실험 결과를 올바르게 이해하고 해석할 수 있도록 도와줍니다.

4. 과학자와 대화하기

챗GPT는 과학 분야에서 역사적인 사건과 과학자들에 대한 정보를 가지고 있어서, 여러분들이 과학 분야에 대한 궁금한 것을 질문하면 여러분이 원하는 과학자의 입장에서 재미있는 답변을 줄 수 있습니다.

하우쌤의
챗GPT 학습법 프롬프트 공식

• 저는 당신이 _____(과학자)_____ 역할을 하기를 원합니다.
_____(하고 싶은 질문)_____?
• _____(과학자 이름)_____ 의 주요 발견에 대해 알려주세요.
• _____(과학 분야)_____ 분야에서 가장 중요한 역사적인 사건 중 하나는 무엇인가요?

이번에 실습해볼 챗GPT의 기능은 재밌습니다. 예를 들어 아래와 같이 지금은 돌아가셔서 계시지 않은 '아이작 뉴턴'의 생각을 유추해볼 수 있습니다. 아이작 뉴턴과 관련된 역사적

사건과 배경에 대한 정보를 얻을 수 있어서, 과학의 발전 과정과 역사를 이해하는 데 도움이 됩니다. 그리고 아이작 뉴턴이 사과가 떨어지는 것을 관찰하고 어떤 원리를 발견했는지에 대한 설명을 듣고 이해할 수 있습니다. 이처럼 과학자와의 대화를 통해서 중력과 같은 기본적인 과학 원리를 배울 수 있습니다.

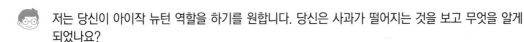

다음 프롬프트 공식에 따라 실제로 질문해보고 도움을 받아보겠습니다.

저는 당신이 _____(과학자)_____ 역할을 하기를 원합니다.
_____(하고 싶은 질문)_____?

예시 ①

> 저는 당신이 아이작 뉴턴 역할을 하기를 원합니다. 당신은 사과가 떨어지는 것을 보고 무엇을 알게 되었나요?

> **ChatGPT** 사과가 나무에서 떨어지는 것을 관찰하면서, 그리고 지구의 끌어당김이 사과를 끌어내리는 것을 관찰하면서, 모든 물체가 지구의 중력에 의해 끌어당겨지는 것을 깨달았습니다. 이를 바탕으로 중력 법칙을 발견하고, 우주의 운동에 대한 이해와 역학의 발전을 이루었습니다.

다음과 같이 여러 과학자들 사이의 토론을 가정하고 그 답변을 들으면서 여러 과학자들의 과학적 사고과정을 탐색하고, 다양한 현상에 대해서 과학적으로 접근하는 능력을 향상시킬 수 있습니다.

예시 ②

> 저는 당신이 아인슈타인 역할을 하기를 원합니다. 아이작 뉴턴과 만날 수 있다면 어떤 토론을 할 수 있을까요?

 ChatGPT 안녕하세요. 저는 챗GPT입니다. 아인슈타인 역할로 답변해드리겠습니다.

아이작 뉴턴과의 토론이라면, 그가 제시한 뉴턴의 운동법칙과 중력에 관한 이론에 대해 토론할 수 있을 것 같습니다. 뉴턴의 운동법칙과 중력은 현대 물리학에서도 여전히 유용하게 사용되고 있지만, 아인슈타인의 상대성 이론과 양립하지 않는 부분도 있습니다.

아인슈타인은 뉴턴의 중력 이론에 대해 새로운 이론을 제시하면서, 중력이 시공간의 곡률로 설명된다는 아이디어를 제안했습니다. 이에 대한 토론이 가능할 것입니다. 뉴턴의 운동법칙에 대해서도, 아인슈타인은 상대성 이론에서 제시한 질량과 에너지의 관계를 이용하여 더 정확한 운동 방정식을 제시했습니다.

그리고 아래와 같은 질문을 하면서 과학사를 포함한 과학자의 발견과 업적에 대한 정보를 얻을 수 있습니다.

예시

다음 프롬프트 공식에 따라 실제로 질문해보고 도움을 받아보겠습니다.

_____(과학자 이름)_____의 주요 발견에 대해 알려주세요.

 과학자 멘델의 주요 발견에 대해 알려주세요.

 ChatGPT 과학자 멘델은 교차 방법을 사용하여 재배한 콩의 성질을 연구하면서 유전학의 기초를 발견했습니다. 그는 1865년에 「Experiments on Plant Hybridization」이라는 논문을 발표하여 형질이 유전적으로 전달되는 법칙을 설명했습니다. 멘델은 콩 식물의 다양한 성질을 관찰하고 이를 상호작용하는 '요소' 또는 '유전자'라는 단위로 표현하였으며, 이를 통해 어떤 유전자가 특정한 상징을 가질 때 어떤 효과가 발생하는지를 이해할 수 있었습니다. 멘델의 발견은 생물학, 유전학, 진화론 등 다양한 분야에서 중요한 응용을 가져왔습니다.

여러분이 좋아하는 과학 분야와 관련된 다양한 역사적 사건에 대한 정보를 얻을 수도 있습니다. 인터넷 검색이나 책을 통한 정보 찾기 대신, 챗GPT를 사용하면 빠르게 원하는 정보를 얻을 수 있어 시간을 절약할 수 있습니다. 특히 다른 언어로 되어 있는 정보나 어려운 수준의 정보도 챗GPT는 번역을 해주거나 쉬운 정보로 바꾸어줄 수 있습니다.

――――――――――――――― 예시 ―――――――――――――――

다음 프롬프트 공식에 따라 실제로 질문해보고 도움을 받아보겠습니다.

_____(과학 분야)_____ 분야에서 가장 중요한 역사적인 사건 중 하나는 무엇인가요?

천문학 분야에서 가장 중요한 역사적인 사건 중 하나는 무엇인가요?

ChatGPT
천문학 분야에서 가장 중요한 역사적인 사건 중 하나는 은하수의 별들이 고르게 분포하지 않고 중심을 향해 모여있다는 것을 관측한 허블의 법칙입니다. 이는 우주의 팽창을 발견하고 이해하는 데 결정적인 역할을 했으며, 현재 천문학의 기초가 되는 중요한 원리 중 하나입니다.

5. 과학고, 영재고 구술 면접 준비하기

챗GPT는 과학 분야 입시 시험 면접관 역할을 해주기도 합니다. 여러분이 구술 면접 시험을 준비할 수 있도록 도움을 줍니다. 과학 분야에서는 계속 새로운 연구와 발견이 이루어지기 때문에, 최신 트렌드와 주요 이슈들에 대해 알고 있어야 합니다. 챗GPT는 과학 분야의 데이터를 바탕으로 자주 나오는 질문을 해줄 수 있어, 여러분은 여러 이슈에 대해서 어떻게 대처할지, 생각을 어떻게 표현할지 연습해볼 수 있습니다.

저는 당신이 과학고등학교 입시 면접관 역할을 하기를 원합니다.
저는 과학고등학교 입학을 지원하는 학생이고, 당신은 중, 고등학교 수준의 과학과 관련한 질문을 해야 합니다.
저는 당신이 면접 진행자로서만 답변해주기를 바랍니다. 모든 대화를 한 번에 작성하지 마십시오. 저는 당신이 저와 면접 인터뷰만 해주기를 바랍니다. 면접관처럼 질문을 하고 답변을 기다려주십시오. 설명을 작성하지 마십시오. 면접관처럼 하나씩 질문하고 답변을 기다립니다. 제 첫 문장은 '안녕하세요'입니다.

다음과 같이 챗GPT에 질문을 해 봅시다. 상황에 따라서 챗GPT가 의도치 않게, 면접관 역할을 여러분에게 반대로 주거나, 여러 가지 질문을 한꺼번에 하는 경우도 있습니다. 그럴 때는 [+ New chat] 버튼을 눌러서 새로 대화를 시작하거나, 위의 프롬프트를 조금씩 스스로 수정해가며 챗GPT와 대화하는 방법을 익혀볼 수 있습니다.

저는 당신이 과학고등학교 입시 면접관 역할을 하기를 원합니다.

저는 과학고등학교 입학을 지원하는 학생이고, 당신은 중, 고등학교 수준의 과학과 관련한 질문을 해야 합니다. 저는 당신이 면접 진행자로서만 답변해주기를 바랍니다. 모든 대화를 한 번에 작성하지 마십시오. 저는 당신이 저와 면접 인터뷰만 해주기를 바랍니다. 면접관처럼 질문을 하고 답변을 기다려주십시오. 설명을 작성하지 마십시오. 면접관처럼 하나씩 질문하고 답변을 기다립니다. 제 첫 문장은 '안녕하세요'입니다.

ChatGPT 안녕하세요, 과학고등학교 입시 면접에 오신 것을 환영합니다. 제가 면접진행자로서 여러분의 질문에 대해 답변해드리겠습니다. 그러면 첫 번째 질문을 시작하겠습니다.
과학 분야 중에서 가장 흥미로운 분야는 무엇인가요? 그리고 그 이유는 무엇인가요?

과학 분야 중 화학에 흥미를 갖고 있습니다. 중학교에서 화학 동아리 활동을 하며 실생활 속 여러 가지 화학 원리를 탐구해볼 수 있었습니다.

ChatGPT 화학에 대한 흥미가 있으시군요. 화학 분야에서 가장 인상 깊게 느꼈던 실험 또는 화학 원리는 무엇인가요? 그리고 그 이유는 무엇인가요?

화학 분야에서 특히 '지시약의 작용 원리'가 인상 깊었습니다. 산의 세기에 따라 화학 구조가 바뀌며 색이 바뀌는 것이 신기했기 때문입니다.

ChatGPT
지시약의 작용 원리가 인상 깊으셨군요. 화학에서 지시약은 어떤 용도로 사용되나요? 그리고 지시약이 산과 염기를 구별하는 원리는 무엇인가요?

화학에서 지시약은 특정 물질의 포함 여부를 색의 변화로 보여주는 물질입니다. 그리고 지시약은 색의 변화나 앙금의 생성으로 산과 염기를 구별할 수 있게 해줍니다.

ChatGPT
매우 잘 설명해주셨습니다. 그렇다면 지시약 외에도 산과 염기를 구별하는 다른 방법이 있는지요? 그리고 그 방법들은 어떻게 작동하는지 설명해주실 수 있나요?

산과 염기를 구별하는 방법은 여러 가지가 있습니다.

첫째, pH 테스터를 이용합니다. 산은 pH 값이 7보다 작으며, 염기는 pH 값이 7보다 큽니다. 따라서 pH 테스트를 통해 해당 용액이 산성인지 염기성인지 구별할 수 있습니다.

둘째, 리트머스 용액을 활용합니다. 적색 리트머스 용액에 산을 더하면 색이 변하여 파란색으로 변합니다. 염기를 더하면 색이 변하여 빨간색으로 변합니다.

셋째, 이온화될 때의 성질을 활용합니다. 산과 염기는 물에 이온화되었을 때 성질도 매우 다릅니다. 산은 수소 이온($H+$)을 방출하며, 염기는 수산화 이온($OH-$)을 방출합니다.

넷째, 용해도를 활용합니다. 일부 산과 염기는 물에 대해 용해도가 다릅니다. 예를 들어, $NaOH$ (염기)은 물에 잘 용해되지만, HCl(산)은 물에 적게 용해됩니다.

다섯째, 중성화 반응입니다. 산과 염기가 중성화 반응을 하면 염이라는 화합물과 물이 생성됩니다. 산과 염기를 섞어 중성화 반응을 시켜서, 그 생성물을 확인하여 산과 염기를 구별할 수 있습니다.

ChatGPT
정말로 다양한 방법이 있군요.

12장 챗GPT와 사회(역사) 공부

사회(역사) 과목은 우리의 과거와 현재, 그리고 미래를 이해하는 핵심이 됩니다. 그러나 여러분이 막상 학교에서 이런 과목을 공부하려 하면, 역사와 경제, 정치와 문화 등 방대한 양의 정보와 암기해야 할 내용들로 인해 종종 어려움을 느낍니다. 챗GPT를 활용한 사회 공부는 다음과 같은 방법이 있습니다.

• 긴 내용을 간단히 요약할 수 있습니다.
• 연표와 같은 시각적 도구를 활용하여 정보를 정리할 수 있습니다.
• 특정 사회 주제에 대한 다양한 관점을 정리할 수 있습니다.

이번 장을 통해 여러분들은 챗GPT의 도움으로 다양한 사회 과목의 핵심 내용을 빠르게 습득하는 방법을 배우겠습니다.

1. 사회 교과서 및 공부할 주제 핵심 요약하기

사회 과목은 대표적인 암기과목입니다. 학생들은 한국사, 세계사, 지리, 경제, 문화, 정치에 이르는 많은 양의 내용을 공부하는 어려움을 겪습니다. 챗GPT는 다양한 정보를 제공하지만, 요약하고 필요한 정보만을 추출할 수 있습니다. 이는 시험 공부를 할 때 필요한 정보를 효율적으로 정리할 수 있게 도와주며, 학습에서도 매우 유용합니다. 따라서 여러분들은 챗GPT를 사회 공부에 적극적으로 활용할 필요가 있습니다.

하우쌤의
챗GPT 학습법 프롬프트 공식

- _____ (교과서 내용) _____ .
  위 내용을 핵심 요약해서 리스트 형식으로 정리해주세요.
  ※ 초, 중, 고등학생들은 '에듀넷 디지털 교과서 웹브라우저(https://webdt.edunet.net)'를 통해서 '교과서 본문'
  을 복사할 수 있습니다. 복사한 교과서 내용을 프롬프트에 붙여넣기 해서 요약 자료를 만들 수 있습니다.
- _____ (주제) _____ .
  위의 주제를 공부할 때 알아야 할 5가지 핵심 사항은 무엇인가요?
- _____ (주제) _____ .
  위의 주제에 대해서 __(수준)__ 학교 사회과목 시험 공부 자료로 활용할 수 있게 500자로 요약해주세요.

위의 프롬프트를 활용해서 실습해보겠습니다. 아래와 같이 요약할 부분을 키보드로 입력하거나, 복사해서 리스트 형식으로 요약할 수도 있습니다.

 예시

다음 프롬프트 공식에 따라 실제로 질문해보고 도움을 받아보겠습니다.

_____ (교과서 내용) _____ .
위 내용을 핵심 요약해서 리스트 형식으로 정리해주세요.

 지도는 일정한 비율로 우리가 사는 공간을 축소하여 평면에 나타낸 것으로, 지형도나 세계 전도 등 자연환경과 인문 환경을 종합적으로 담고 있는 것을 일반도라고 합니다. 지도는 대륙과 해양의 분포, 주요 산맥과 하천, 국가와 도시 등의 위치를 파악할 수 있는 다양한 지리 정보를 제공합니다.

특정한 내용을 주제로 제작된 지도를 주제도라고 하며, 인구 분포를 점으로 표현하거나 인구나 자원의 이동을 선으로 나타내는 등 주제에 따라 다양한 형태로 제작됩니다. 각 지도는 주제에 따라 다른 정보를 담고 있으므로 지도를 분석하면 지역의 위치를 파악할 뿐 아니라 기후, 지형 등의 자연환경과 인구, 경제 활동 등의 인문 환경의 특징과 차이점을 파악할 수 있습니다.

위도와 경도를 이용하여 지구상의 정확한 위치를 표현할 수 있으며, 동일한 위도에 해당하는 지점을 연결한 가상의 가로선을 위선, 동일한 경도에 해당하는 지점을 연결한 가상의 세로선을 경선이라고 합니다. 지구는 둥근 모양이므로 태양으로부터 지표면에 도달하는 일사량은 위도에 따라 차이가 납니다. 적도 부근은 태양 에너지를 집중적으로 받아 기온이 가장 높고, 고위도 지역으로 갈수록 기온은 점차 낮아집니다.

지구는 자전축이 약 23.5°기울어져 있기 때문에 북반구와 남반구의 중위도 지역에서는 계절이 서로 반대로 나타나며, 위도에 따라 주민 생활 모습도 다르게 나타납니다. 지구의 자전으로 인해 지역별로 시간이 달라지며, 본초 자오선(0°)을 기준으로 세계 표준시를 정합니다. 지구가 한 바퀴 자전하는 동안 24시간이 걸리므로 경도 15°마다 1시간의 시차가 발생하며, 동경 180°선과 서경 180°선은 24시간의 시차가 발생하여 이 선이 날짜 변경선이 됩니다.

위 내용을 핵심 요약해서 리스트 형식으로 정리해주세요.

ChatGPT

1. 지도는 일정한 비율로 우리가 사는 공간을 축소하여 평면에 나타낸 것입니다.
2. 일반도는 자연환경과 인문 환경을 종합적으로 담고 있는 지도이며, 대륙과 해양의 분포, 주요 산맥과 하천, 국가와 도시 등의 위치를 파악할 수 있습니다.
3. 주제도는 특정한 주제로 제작된 지도로, 주제에 따라 다양한 형태로 제작됩니다.
4. 지도를 분석하면 지역의 위치뿐 아니라 기후, 지형 등의 자연환경과 인구, 경제 활동 등의 인문 환경의 특징과 차이점을 파악할 수 있습니다.
5. 위도와 경도를 이용하여 지구상의 정확한 위치를 표현할 수 있으며, 위선과 경선으로 나누어 지점을 표시합니다.
6. 지구는 둥근 모양이므로 태양 에너지를 받는 양에 따라 지역별로 기온이 다르며, 북반구와 남반구의 중위도 지역에서는 계절이 서로 반대로 나타납니다.
7. 지구의 자전으로 인해 지역별로 시간이 달라지며, 본초 자오선(0°)을 기준으로 세계 표준시를 정합니다.
8. 경도 15°마다 1시간의 시차가 발생하며, 동경 180°선과 서경 180°선은 24시간의 시차가 발생하여 이 선이 날짜 변경선이 됩니다.

주제와 수준을 지정해주고, 사회 공부를 할 때 필수적으로 알아야 할 포인트를 뽑아낼 수도 있습니다.

다음 프롬프트 공식에 따라 실제로 질문해보고 도움을 받아보겠습니다.

_____(주제)_____.
위의 주제를 공부할 때 알아야 할 5가지 핵심 사항은 무엇인가요?

 주제 : 미국 혁명과 프랑스 혁명
수준 : 고등학생

위의 주제를 공부할 때 알아야 할 5가지 핵심 사항은 무엇인가요?

ChatGPT 미국 혁명과 프랑스 혁명은 모두 혁명적인 사건이지만, 각각의 역사적 맥락과 특징을 이해하는 것이 중요합니다. 고등학생 수준에서 이 주제를 공부할 때 알아야 할 5가지 핵심 사항은 다음과 같습니다:

1. 배경과 원인: 각각의 혁명은 고유한 배경과 원인을 가지고 있습니다. 미국 혁명은 영국 식민 지에서 독립을 추구하는 과정에서 시작되었으며, 경제적, 정치적, 그리고 이념적 불만이 주된 원인이었습니다. 반면에 프랑스 혁명은 정치적인 부패, 사회적 불평등, 경제적 어려움 등이 원인으로 작용하였습니다.

2. 리더십과 중요 인물: 미국 혁명에서는 조지 워싱턴, 토마스 제퍼슨, 벤자민 프랭클린 등이 중 요한 역할을 했으며, 프랑스 혁명에서는 마리 앙투아네트, 막시밀리앙 드 로베스피에르, 나 폴레옹 보나파르트 등의 인물이 주목받았습니다. 이러한 인물들의 아이디어와 역할을 이해 하는 것이 중요합니다.

3. 이념과 사상: 혁명은 강력한 이념과 사상에 기초하였습니다. 미국 혁명은 인권, 자유, 평등과 같은 개념을 중요시했으며, 프랑스 혁명은 자유, 평등, 박애와 같은 개념을 중요시했습니다. 이러한 이념과 사상이 혁명의 원동력이 되었으며, 이를 이해하는 것이 필요합니다.

4. 사건과 전개: 미국 혁명은 1775년의 렉싱턴 전투를 시작으로 전개되었습니다. 독립 선언문의 채택, 사라토가 전투 등의 사건이 중요합니다. 프랑스 혁명은 1789년의 발리아제 도요티 신문, 귀족제 폐지, 테르미도르의 반란 등의 사건으로 전개되었습니다. 이러한 주요 사건들을 이해 하고, 혁명의 전개 과정을 파악하는 것이 중요합니다.

5. 영향과 유산: 미국 혁명은 미국의 독립과 연방 제정에 영향을 미치면서 현대 민주주의의 발전 에 중요한 역할을 했습니다. 프랑스 혁명은 귀족제의 종말을 의미하며, 현대 정치 체제와 인 권의 개념에 영향을 미쳤습니다. 이러한 영향과 유산을 이해하는 것이 중요합니다.

살펴볼 내용이 너무 많을 경우, 필요한 양의 정보로 압축해서 요약하고 암기할 수도 있습니다. 특히 '시험 공부 자료'를 프롬프트에서 언급하면 챗GPT가 여러분들이 이해하기 쉬운 언어로 스터디 페이퍼를 만들어 줍니다.

예시

다음 프롬프트 공식에 따라 실제로 질문해보고 도움을 받아보겠습니다.

_____(주제)_____ .
위의 주제에 대해서 __(수준)__ 학교 사회과목 시험 공부 자료로 활용할 수 있게 500자로 요약해주세요.

주제 : 세계적 상품교역이 가져온 사회적, 경제적 변화
위의 주제에 대해서 고등학교 사회과목 시험 공부 자료로 활용할 수 있게 500자로 요약해주세요.

ChatGPT

세계적 상품교역은 세계 각국의 상품이 자유롭게 교환되는 경제적 활동입니다. 이러한 상품교역은 물리적 거리나 국경을 넘어 교역이 가능하게 만들어주어 국경을 넘어 교역하는 국제무역의 발전을 이끌어냈습니다. 이러한 국제무역은 다양한 사회적, 경제적 변화를 가져왔습니다.

먼저, 세계적 상품교역은 국가 간 경제적 상호의존성을 높이고 지역 간 경제 발전을 촉진하는 데 기여하였습니다. 상품교역은 자연적 경제적 발전을 이루어내어 국가 경제가 성장하는 데 기여하였으며, 이러한 성장은 국가 간의 경제적 경쟁을 일으켰습니다.

또한, 상품교역은 새로운 기술, 지식, 문화 등을 상호교류함으로써 세계화를 이끌어냈습니다. 이러한 세계화는 다양한 문화 간 교류를 이끌어내 문화다양성을 지키는 데 기여하였습니다.

하지만 세계적 상품교역은 기존의 경제체제와 변화를 가져왔습니다. 이에 따라 국제적 불평등, 부당한 노동조건 등의 문제가 발생하였습니다. 이러한 문제를 해결하기 위해서는 세계적 상품교역에 참여하는 모든 국가의 협력이 필요합니다.

세계적 상품교역은 경제적 발전, 문화교류, 지식 습득 등의 장점과 함께 국제적 불평등, 부당한 노동조건 등의 문제를 야기하였습니다. 따라서 국제적인 통상규약이나 규제가 필요하며, 국가 간 협력을 통한 이러한 문제의 해결이 필수적입니다.

2. 역사 공부용 연표 만들기

역사 공부를 할 때, 챗GPT를 활용하여 연표를 만들 수 있습니다. 연표는 역사적인 사건이 일어난 시기를 나타내는 표입니다. 중요한 역사적인 사건을 시간 순서대로 정리하여 쉽게 파악할 수 있도록 돕는 것이 목적입니다. 한국사와 세계사는 암기할 것들이 많아서 연표를 만들어 정리하면 한눈에 들어와서 공부하기에 효율적입니다. 연표를 작성하면서 역사적인 사건을 이해하고 기억할 수 있으며, 그 사건들이 발생한 시기와 배경을 파악할 수 있습니다. 챗GPT의 도움을 받아 시대별로 중요한 사건들을 기록하고, 각 사건이 어떤 영향력을 미쳤는지 파악할 수 있습니다. 그리고 챗GPT의 답변에서 궁금한 점이 생기면 다시 이어서 질문하면 친절히 답변해줍니다. 연표와 같이 오류가 있는 답변을 받을 가능성이 클 때는 챗GPT의 'Browse with Bing'(GPT-4, 유료 버전)기능을 통해 답변받는다면 오류를 줄일 수 있습니다.

하우쌤의
챗GPT 학습법 프롬프트 공식

- _____(역사적 시기)_____의 연표를 만들어주세요.
  형식 : 리스트 형식
  특징 : 주요 사건, 주요 인물, 정치 · 문화 · 경제 사회적 변화 기록
  ※ 챗GPT는 표 형식으로 답변을 할 수도 있습니다. 시험 공부 자료를 스스로 만들기 위해서 '필기용 빈칸'처럼 구체적인 셀의 이름도 지정할 수 있습니다.
- _____(역사적 시기)_____ 시대의 연표를 5열 스프레드시트 형식으로 만들어주세요.
  연도 |주요 사건 |주요 인물 |정치 · 문화 · 경제 · 사회적 변화 |필기용 빈칸
  ※ 챗GPT는 일부 역사적 사실에 부정확하거나 오류가 있을 수도 있습니다. "이 부분은 오류가 있어. 이렇게 수정해줘"라고 지적해서 수정할 수도 있습니다.

다음과 같이 로마 제국의 연표를 만들어보겠습니다. '형식, 수준, 용도, 특징'을 자세히 기록하면 챗GPT도 그에 맞게 구체적으로 연표를 만들어 줍니다. 이때 챗GPT가 제공하는 역사

적 정보가 사실이 맞는지 꼭 확인하여야 합니다. 항상 다른 출처와 비교하여 확인하는 것이 좋습니다. 이를 통해 잘못된 정보를 걸러내고, 더 정확한 정보를 습득할 수 있습니다.

─────────────── 예시 ───────────────

다음 프롬프트 공식에 따라 실제로 질문해보고 도움을 받아보겠습니다.

_____(역사적 시기)_____의 연표를 만들어주세요.
형식 : 리스트 형식
특징 : 주요 사건, 주요 인물, 정치·문화·경제 사회적 변화 기술

고대 로마의 연표를 만들어주세요.

형식 : 리스트 형식

수준 : 고등학생

용도 : 역사 시험 공부

특징 : 주요 사건, 주요 인물, 정치·문화·경제 사회적 변화 기록

ChatGPT
- 기원전 753년: 로마의 건국
- 기원전 509년: 로마 공화국 선포
- 기원전 390년: 갈리아의 침공으로 인한 로마의 패배
- 기원전 264년-146년: 포에니 전쟁
- 기원전 73년-71년: 스파르타쿠스의 반란
- 기원전 44년: 카이사르의 암살
- 기원전 27년: 로마 제국 선포, 옥타비아누스 카이사르(아우구스투스) 황제 즉위
- 14년-37년: 티베리우스 황제 시대
- 54년-68년: 네로 황제 시대
- 79년: 베수비오 화산 폭발(폼페이 최후의 날)
- 117년-138년: 트라야누스 황제 시대
- 212년: 카라칼라의 시민권법 발표
- 395년: 로마 제국 분할(서로 독립된 동·서 로마 제국)
- 476년: 오도아케르에 의한 서로마 제국의 멸망

바로 출력해서 사회 공부용으로 사용하거나, '필기용 빈칸'을 별도로 입력해서 필기용으로 사용할 수도 있습니다. 다음과 같이 '맨 위의 행 제목'을 미리 지정해줄 수 있습니다. 여러분도 따라 해보세요.

예시

다음 프롬프트 공식에 따라 실제로 질문해보고 도움을 받아보겠습니다.

_____(역사적 시기)_____ 시대의 연표를 5열 스프레드시트 형식으로 만들어주세요.
연도 |주요 사건 |주요 인물 |정치 · 문화 · 경제 · 사회적 변화 |필기용 빈칸

> 수준 : 고등학생
> 용도 : 사회 역사 시험 공부
> 르네상스 시대 연표를 5열 스프레드시트 형식으로 만들어주세요.
>
> 연도 |주요 사건 |주요 인물 |정치 문화 경제 사회적 변화 |필기용 빈칸

연도	주요 사건	주요 인물	정치 문화 경제 사회적 변화	필기용 빈칸
1300	르네상스 시작	레오나르도 다 빈치	인문주의, 예술 증진, 상업 주도 경제 성장	
1517	마르틴 루터의 95개조 반박문	마르틴 루터	종교개혁 운동, 가톨릭과 개신교의 충돌	
1543	과학혁명 시작	갈릴레오 갈릴레이	기술적 혁신 및 신념의 자유, 국가주의적 개념 강화 등	
1550	르네상스 확산	미켈란젤로 부오나로티	종교개혁, 교육의 중요성 강조, 과학의 발전 등	
1588	스페인의 무적함대 패배	펠리페 2세	스페인의 군사적 실패, 영국의 성장	

'마르틴 루터의 95개조 반박문'은 어떤 무엇인가요?

ChatGPT

'마르틴 루터의 95개조 반박문'은 1517년에 마르틴 루터가 작성하고 발표한 문서로, 가톨릭교의 불법적인 성과 판매 등에 대한 비판과 개혁 요구를 담았습니다. 이 문서는 그 당시의 유럽에서 종교개혁 운동을 일으키는 중요한 계기가 되었으며, 이후 카톨릭과 개신교 사이의 대립과 충돌을 불러일으키는 계기가 되었습니다. 이 문서는 성경 중심의 신앙과 교리 강조, 개인의 직접적인 신앙 체험 등을 중요시하는 개신교 교리의 출발점이 되었습니다.

3. 사회 프로젝트 주제에 대한 다양한 관점 이해하기

사회 프로젝트 과제나 수행평가를 해결하다 보면 역사적 사건이나 다양한 정치 문화적 주제에 대해 다양한 관점을 갖고 토론할 기회가 많습니다. 챗GPT는 사회 교과와 관련된 다양한 주제에 대해 다양한 시각과 관점을 제공할 수 있습니다. 세계사나 한국사와 관련된 주제에 대해 역사적인 사실과 사건에 대한 설명과 함께 다양한 인물, 문화, 사회적 변화, 경제적 관점에서 이해를 돕는 설명을 제공하기 때문에 여러분들은 이 점을 잘 활용해야 합니다.

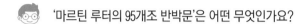

하우쌤의
챗GPT 학습법 프롬프트 공식

- _____(사회 프로젝트 주제)_____에 대해 다양한 관점을 정리해주세요.
  형식 : 주장, 근거를 리스트 형식으로
- _____(사회 프로젝트 주제)_____에 대한 토론에서 _____(관점과 생각)_____ 관점의 주장과 근거를 정리해주세요.

먼저 '우리나라의 다문화적 상황'에 대한 다양한 관점 정리를 챗GPT에게 요청해봅시다. '형식'을 아래와 같이 지정해주면 주장과 근거도 구체적으로 제시합니다.

다음 프롬프트 공식에 따라 실제로 질문해보고 도움을 받아보겠습니다.

_____(사회 프로젝트 주제)_____ 에 대해 다양한 관점을 정리해주세요.
형식 : 주장, 근거를 리스트 형식으로

우리나라의 다문화적 상황에 대해 다양한 관점을 정리해주세요.

형식 : 주장, 근거를 리스트 형식으로

ChatGPT

다음은 우리나라의 다문화적 상황에 대한 다양한 관점과 그에 대한 근거입니다:

1. 다문화 사회는 문화적 다양성을 존중하고 즐기는 것이 중요하다는 주장
   – 우리나라는 다문화 사회로 발전하면서 많은 다양한 문화들이 공존하고 있습니다. 이는 우리 사회의 문화적 다양성을 증가시키고, 서로 다른 문화를 존중하고 즐길 기회를 제공합니다.

2. 다문화 사회에서는 서로 다른 문화 간의 충돌이 발생할 수 있다는 주장
   – 서로 다른 문화를 가진 사람들이 함께 살다 보면 언어, 종교, 가치관 등의 차이로 인해 충돌이 발생할 수 있습니다. 이러한 충돌은 서로 간의 이해가 부족하거나 문화 간의 갈등이 발생할 수 있기 때문에 예방하는 것이 중요합니다.

3. 다문화 사회에서는 다문화 교육이 필요하다는 주장
   – 우리나라는 다문화 사회로 변화하면서 다양한 문화를 가진 학생들이 학교에서 함께 공부하고 있습니다. 이를 위해 다문화 교육이 필요하며, 다문화 교육은 학생들의 문화 간 이해를 촉진하고, 차별과 편견을 예방할 수 있습니다.

4. 다문화 사회에서는 양적 측면뿐만 아니라 질적 측면에서도 인권 보호가 필요하다는 주장
   – 다문화 사회에서는 다양한 인종, 민족, 문화, 언어 등이 공존하면서 인권 침해 문제가 발생할 수 있습니다. 이를 해결하기 위해서는 인권 보호와 다양성 존중이 동시에 이루어져야 합니다.

5. 다문화 사회에서는 상호문화 이해와 문화 교류가 활발하게 이루어져야 한다는 주장
   – 다문화 사회에서는 서로 다른 문화 간의 이해와 교류가 필요합니다. 이를 통해 상호문화 이해가 증진되고, 문화 교류를 통해 새로운 문화가 창출될 수 있습니다. 이러한 과정은 문화적 다양성과 상호 이해를 증진시키는 데 중요한 역할을 합니다.

'사회 프로젝트 주제'와 '관점과 생각'을 지정해주고 그에 따른 주장과 근거를 별도로 정리할 수도 있습니다. 다음과 같이 실습해봅시다.

─────────────── 예시 ───────────────

다음 프롬프트 공식에 따라 실제로 질문해보고 도움을 받아보겠습니다.

_____(사회 프로젝트 주제)_____ 에 대한 토론에서 _____(관점과 생각)_____ 관점의 주장과 근거를 정리해
주세요.

자본주의와 제국주의의 등장에 대한 토론에서 '생태환경적 관점'의 주장과 근거를 정리해주세요.
형식 : 주장|근거

ChatGPT

다음은 자본주의와 제국주의의 등장에 대한 토론에서 '생태환경적 관점'의 주장과 근거입니다:

주장: 자본주의와 제국주의의 등장은 생태환경에 부정적인 영향을 미쳤습니다.

근거:
1. 산업화와 자본주의의 등장은 환경 파괴를 가속화했다.
  －산업화와 함께 환경파괴가 가속화되었습니다. 자본주의는 이러한 산업화를 밀어붙이면서
   더 많은 자원과 에너지를 필요로 하게 만들어서 생태계에 악영향을 미쳤습니다.

2. 자원낭비와 자원쇠퇴 문제를 일으켰다.
  －자본주의 경제는 지속적인 경제성장을 추구합니다. 이는 더 많은 자원과 에너지를 필요로
   하게 만들어서 자원낭비를 유발합니다. 또한 이러한 경제성장은 자원의 고갈과 자원쇠퇴를
   야기할 수 있습니다.

3. 제국주의는 자연 환경을 지배하려는 노력에서 비롯된 문제가 많았다.
  －제국주의는 지역별 자원의 집약적인 수출을 추구하여, 자원의 과잉 소비와 낭비를 야기할
   수 있었습니다. 또한 제국주의 국가는 자연 환경을 지배하려는 노력에서 발생하는 환경 파
   괴를 일으킬 수 있었습니다.

 ChatGPT 4. 생태계의 파괴는 인간의 건강과 생존에 직접적인 위협이 될 수 있다.
- 생태계 파괴는 인간의 건강과 생존에 직접적인 위협이 될 수 있습니다. 물, 대기, 토양 등을 오염시키는 것은 인간의 건강에 직접적인 영향을 미치며, 생태계 파괴는 산림재해, 지진, 해일 등의 자연재해를 야기할 수 있습니다.

4. OX퀴즈 및 주관식 문제 만들기

챗GPT는 여러분이 이전에 공부한 사회 교과서 내용에 대한 OX 퀴즈나 간단한 주관식 문항을 만들어 줄 수 있습니다. 한국사부터 정치에 이르는 사회 교과 내용을 학습한 챗GPT를 통해 여러분은 간단하게 내용을 확인할 수 있는 문항으로 사회 공부를 점검하고 평가할 수 있습니다. 또한 교과서 외의 다양한 사회 교과 주제를 정해주면 내용을 확인할 수 있는 평가문항을 출제해주기 때문에 사회 문제를 풀면서 내용을 학습할 수도 있습니다.

하우쌤의
챗GPT 학습법 프롬프트 공식

• _____ (교과서 내용) _____
위의 내용에서 OX 퀴즈를 10문제 출제해주세요. 정답은 다음 답변에서 알려주세요.
※ 초 · 중 · 고등학생들은 '에듀넷 디지털 교과서 웹브라우저(https://webdt.edunet.net)'를 통해서 '교과서 본문'을 복사할 수 있습니다. 복사한 교과서 내용을 프롬프트에 붙여넣기해서 요약 자료를 만들 수 있습니다.
• _____ (교과서 내용) _____
위의 내용에서 단답형 문항을 5문제 출제해주세요. 답은 다음 답변에서 알려주세요.
• _____ (사회 교과 주제) _____
위의 주제와 관련된 OX 퀴즈를 출제해주세요. 정답은 다음 답변에서 알려주세요.
• _____ (사회 교과 주제) _____
위 주제에 대한 질문과 답변이 있는 2열 표를 만들어 주세요.

먼저, '교과서 내용' 중 시험 범위의 내용을 직접 키보드로 입력하거나 복사해서 붙여넣고 OX퀴즈를 만들 수 있습니다. 챗GPT에게 '정답'은 다음 답변에서 알려주라고 요청하면 문제를 풀고 답을 확인할 수 있습니다.

―――――――――――――――――〈 예시 〉―――――――――――――――――

다음 프롬프트 공식에 따라 실제로 질문해보고 도움을 받아보겠습니다.

―――――――――――（교과서 내용）――――――――――――――.
위의 내용에서 OX 퀴즈를 10문제 출제해주세요. 정답은 다음 답변에서 알려주세요.

민주주의 국가에서 국민은 주권을 가지며, 이상적으로는 국민이 직접 정치에 참여하여 나라를 다스리는 것이 좋다. 하지만 현대 국가는 인구와 영토가 매우 넓어 모든 국민이 모여서 직접 결정하는 것이 어렵다. 이에 따라 대표자를 선출하여 간접 민주주의를 채택하고 있으며, 대표자로 구성된 국가 기관이 의회이다.

국회는 국민의 의사를 반영하여 법률을 제정하는 입법 기관으로, 다른 국가 기관을 견제하고 감시하여 국민의 자유와 권리를 보장한다. 국회는 선거구별 후보자와 정당별 득표율에 따라 지역구 국회의원과 비례 대표 국회의원으로 구성되며, 임기는 4년이다. 국회가 구성되면 의장 1명과 부의장 2명을 선출한다.

국회의 최종 의사 결정은 본회의에서 이루어지며, 재적 의원 과반수의 출석과 출석 의원 과반수의 찬성으로 일반적인 의사 결정을 한다. 본회의에서 결정할 안건을 미리 조사하고 심의하는 상임 위원회 등이 있어 효율적인 의사 진행을 돕고 있다.

국회의 가장 중요한 역할은 법률을 제정하고 개정하는 일이며, 법률안 제안 및 결정, 헌법 개정안 제안 및 의결, 대통령이 외국과 체결한 조약에 대한 동의권을 가지고 있다. 법률안은 국회의원이 제안하거나 정부가 제출하며, 상임 위원회에서 먼저 심사한 후 본회의에서 표결로 결정하며, 의결된 법률안은 대통령이 공포한다.

국회는 정부의 예산안을 심의하고 확정하는 권한도 가지고 있으며, 국정 감사를 통해 국가 정책의 잘못된 부분을 조사하여 국정을 감시하고 행정부를 견제한다. 또한, 국무총리와 대법원장 등 주요 헌법 기관 구성원의 임명에 대한 동의권을 행사하고, 고위 공직자가 헌법이나 법률을 위반하면 탄핵 소추를 의결할 수 있다.

위의 내용에서 OX퀴즈를 10문제 출제해주세요. 정답은 다음 답변에서 알려주세요.

1. 국가 기관 중 입법 기관은 국회이다. (○/X)
2. 국회는 대표자를 선출하여 간접 민주주의를 채택하는 기관이다. (○/X)
3. 국회는 법률을 제정하고 개정하는 역할을 한다. (○/X)
4. 국회의 최종 의사 결정은 상임 위원회에서 이루어진다. (○/X)
5. 국회는 선거구별 후보자와 정당별 득표율에 따라 지역구 국회의원과 비례 대표 국회의원으로 구성된다. (○/X)
6. 국회는 정부가 제출한 예산안을 심의하고 결정하는 권한이 있다. (○/X)
7. 국회는 대통령이 외국과 체결한 조약에 대한 동의권을 가지고 있다. (○/X)
8. 국회는 국정 감사를 통해 국가 정책의 잘못된 부분을 조사하여 국정을 감시하고 행정부를 견제한다. (○/X)
9. 국회는 고위 공직자가 헌법이나 법률을 위반하면 구속할 수 있는 권한을 가지고 있다. (○/X)
10. 국회는 대통령의 임명에 대한 동의권을 행사하고, 대통령이 임기 내에 탄핵될 경우 심판을 담당한다. (○/X)

같은 방법으로 교과서 내용을 입력하고 단답형 문제를 만들어 풀어볼 수도 있습니다.

━━━━━━━━━━━━━(예시)━━━━━━━━━━━━━

다음 프롬프트 공식에 따라 실제로 질문해보고 도움을 받아보겠습니다.

_____(교과서 내용)_____.
위의 내용에서 단답형 문항을 5문제 출제해주세요. 답은 다음 답변에서 알려주세요.

대한민국의 법원은 대법원, 고등법원, 지방법원 등으로 이루어져 있다. 대법원은 사법부의 권위 있는 기관으로, 최종 판결을 내리는 역할을 맡고 있다. 고등법원은 대법원 아래에 있으며, 대개 2심 판결을 맡으며 1심에서 불복하면 다시 재판한다. 지방법원은 주로 민사 재판이나 형사 재판의 1심 판결을 맡는다. 또한, 특허권 관련 사건을 처리하는 특허법원, 가사 사건을 다루는 가정 법원, 행정 관련 사건을 다루는 행정 법원이 있다.

위의 내용에서 단답형 문항을 5문제 출제해주세요. 답은 다음 답변에서 알려주세요.

ChatGPT
1. 대한민국의 법원은 어떤 기관들로 이루어져 있나요?
2. 대법원은 어떤 역할을 맡고 있나요?
3. 고등법원은 어떤 심급의 판결을 맡으며, 1심에서 불복하면 어떻게 될까요?
4. 지방법원은 어떤 사건을 다루나요?
5. 대한민국의 법원 중, 가정 관련 사건을 다루는 법원은 무엇인가요?

정답을 알려주세요.

ChatGPT
1. 법원이란 무엇으로 이루어져 있나요? – 대법원, 고등법원, 지방법원 등으로 이루어져 있습니다.
2. 대법원의 역할은 무엇인가요? – 사법부의 권위 있는 기관으로, 최종 판결을 내리는 역할을 맡습니다.
3. 고등법원은 어떤 역할을 하나요? – 대법원 아래에 있으며, 대개 2심 판결을 맡으며 1심에서 불복하면 다시 재판합니다.
4. 지방법원은 어떤 일을 주로 담당하나요? – 주로 민사 재판이나 형사 재판의 1심 판결을 맡습니다.
5. 대한민국의 법원 중, 가정 관련 사건을 다루는 법원은 무엇인가요? – 가사 사건을 다루는 가정법원입니다.

교과서 내용뿐만 아니라 '주제'를 지정하고 OX퀴즈나 단답형 문제를 만들어 풀어볼 수도 있습니다.

예시

다음 프롬프트 공식에 따라 실제로 질문해보고 도움을 받아보겠습니다.

_____(사회 교과 주제)_____.
위의 주제와 관련된 OX 퀴즈를 출제해주세요. 정답은 다음 답변에서 알려주세요.

 주제 : 위도와 경도

위의 주제와 관련된 OX퀴즈를 출제해주세요. 정답은 다음 답변에서 알려주세요.

 좋습니다! 아래는 위도와 경도에 관한 OX 퀴즈입니다.
ChatGPT
1. 위도는 지구의 서쪽에서 동쪽 방향으로 측정된다. (O/X)
2. 경도는 지구의 북쪽에서 남쪽 방향으로 측정된다. (O/X)
3. 위도와 경도는 지구상의 임의의 점을 정확하게 나타낼 수 있다. (O/X)

그리고 사회 과목의 시험 공부용으로 질문과 답변이 있는 표를 만들어 출력해서 암기를 쉽게 할 수 있습니다.

───────────────── 예시 ─────────────────

다음 프롬프트 공식에 따라 실제로 질문해보고 도움을 받아보겠습니다.

_____(사회 교과 주제)_____ .
위 주제에 대한 질문과 답변이 있는 2열 표를 만들어 주세요.

 주제 : 제1차 세계대전

수준 : 중학생

위 주제에 대한 질문과 답변이 있는 2열 표를 만들어 주세요.

질문	답변
제1차 세계대전은 언제 시작되었나요?	1914년 7월 28일
제1차 세계대전은 언제 끝났나요?	1918년 11월 11일
제1차 세계대전의 원인은 무엇이었나요?	제국주의, 무차별적 군비경쟁, 국가 간 관계 악화
어떤 나라들이 제1차 세계대전에서 중요한 역할을 했나요?	독일, 프랑스, 영국, 러시아, 미국, 오스트리아–헝가리 등
제1차 세계대전의 결과는 무엇이었나요?	국경 변경, 국제 연맹의 설립 등

13장 챗GPT와 영어 공부

학교 시험 대비, 영어 자격 시험 공부, 여행과 유학 등을 위해, 우리나라의 많은 학생이 영어를 배우는 데 공을 들이고 있습니다. 특히 여러분에게 영어 공부는 중요한 도전과제이자 성장의 기회입니다. 그러나 영어를 효과적으로 배우는 것은 쉽지 않은 일입니다. 그래서 여러분에게 챗GPT를 활용한 다양한 영어 학습 방법을 소개하고, 여러분이 영어 학습의 각 영역에 있어서 매우 유용한 도구로 활용할 수 있도록 준비했습니다. 챗GPT를 활용한 영어 공부는 다음과 같은 방법이 있습니다.

- 일상 대화 및 상황별 대화 연습
- 문법 공부
- 대화 스크립트 생성
- 빈칸 채우기 문제
- 자동 번역
- 단어장 제작

이번 장에서는 챗GPT의 다양한 기능을 통해 여러분의 영어 수준이 한 단계 업그레이드하는 방법을 배우겠습니다.

1. 챗GPT와 영어로 대화 나누기

챗GPT를 활용하여 다양한 주제와 관련된 일상 대화나 상황별 대화를 연습할 수 있습니다. 특히 챗GPT를 활용하여 대화 내용을 기록하고, 나중에 다시 복습할 수 있어서, 여러분은 영어 문장 구조나 어휘, 문법 등을 체크할 수 있습니다. 챗GPT는 여러분이 잘못 사용한 표현을 수정해주고, 대화에서 쓸 수 있는 구동사도 정리해줍니다. 참고로 구동사(phrasal verbs)란 동사와 전치사나 부사 같은 다른 한두 개의 단어로 이뤄진 구입니다.

- Can we have a conversation about _____(대화의 주제)_____?
- Let's talk and You'll help me fix any mistakes I make.
- Can you suggest some vocabulary words that I can use during our conversation? ← 어휘 정리가 필요할 때
- Can you recommend some phrasal verbs that I can utilize during our conversation? ← 구동사 정리가 필요할 때

  ※ '영어로 챗GPT와 대화나누기'를 할 때는 가급적 첫 질문도 영어를 사용하세요.

이제 직접 실습해보겠습니다. 다음과 같이 대화의 주제를 지정해서 챗GPT에게 영어로 말을 걸면 해당 주제에 관련된 영어 단어나 문장을 연습할 수 있게 도와줍니다. 일상적인 대화뿐만 아니라 다양한 상황에서 유용합니다.

───────────── 예시 ─────────────

다음 프롬프트 공식에 따라 실제로 질문해보고 도움을 받아보겠습니다.

Can we have a conversation about _____(대화의 주제)_____?

Can we have a conversation about science?

ChatGPT   Of course, let's have a conversation about science! What aspect of science interests you the most?

I am interested in biology.

 ChatGPT Great! Biology is a fascinating field. What specifically about biology do you find interesting?

 Cell

ChatGPT Cells are indeed a fundamental component of biology. What is it about cells that you find intriguing?

아래와 같은 질문은 말하기 연습에 도움이 됩니다. 챗GPT가 영어 연습 대화를 함께 하며, 틀린 문장을 바로잡아주기 때문입니다. 이는 여러분의 발음, 억양, 문법, 어휘, 표현 등 다양한 측면에서 영어 실력을 향상하는 데 도움이 됩니다.

――――――――――(예시)――――――――――

다음 프롬프트 공식에 따라 실제로 질문해보고 도움을 받아보겠습니다.

You're my _____(수행시킬 역할)_____. Let's talk and You'll help me fix any mistakes I make.

 You are my English teacher. Let's have a conversation and you will correct my mistakes.

ChatGPT Sure, I'd be happy to help! Let's start our conversation.

 I loves soccer.

ChatGPT Great! It's good to hear that you enjoy soccer. However, in this sentence, the verb "loves" should be changed to "love" to agree with the subject "I." So, it should be "I love soccer."

이번에 실습할 질문은 여러분이 알고 있는 어휘를 늘리는 데 도움이 됩니다. 챗GPT에 알고 싶은 분야를 알려주면 이와 관련된 새로운 단어를 배울 수 있습니다. 어학시험을 준비하거나 학교의 영어 시험 공부를 할 때 아주 좋습니다. 이때는 '실제 사용 예시'나 '영영사전 풀이' 등을 요청할 수도 있습니다.

───────────────── (예시) ─────────────────

다음 프롬프트 공식에 따라 실제로 질문해보고 도움을 받아보겠습니다.

Can you suggest some vocabulary words that I can use during our conversation?

 Can you suggest some vocabulary words that I can use during our conversation?

 Sure, here are some vocabulary words you can use:

ChatGPT

1. Enthusiastic – showing a lot of excitement and interest in something
2. Diligent – showing care and effort in one's work or duties
3. Inquisitive – curious and eager to learn and explore
4. Amicable – friendly and peaceful in nature
5. Resilient – able to recover quickly from difficult situations
6. Tenacious – determined to persist or succeed
7. Pensive – deep in thought and contemplation
8. Eclectic – varied and diverse in one's tastes and interests
9. Erudite – having or showing extensive knowledge, learning, culture
10. Superfluous – unnecessary and excessive

4번 어휘를 사용하는 실제 영어 대화를 써주세요. 한글로 된 해석도 적어주세요. (학교에서 사용하는 대화, 중학생 수준)

ChatGPT
A: Hey, Sarah! Can I borrow your pencil? I forgot to bring mine.
B: Of course, Jane! No problem at all. Here you go.
A: Thanks a lot! You're always so amicable.
B: Aw, thanks! I believe in helping each other out, especially in times like this.

A: 안녕, Sarah! 연필 좀 빌려 줄 수 있을까? 내 것을 가져오는 걸 깜빡했어.
B: 물론이야, Jane! 문제없어. 여기 있어.
A: 정말 고마워! 너 항상 너무 친절하다.
B: 아, 고마워! 나는 서로 도와주는 걸 믿어. 특히 이런 때에는 말이야.

위의 10개 항목을 리스트 형식으로 정리해주세요.

voca | meaning | 한글 뜻 | 실제 사용 예시

ChatGPT
Sure, here is a list of the 10 vocabulary words, their meanings, and an example sentence:

1. Enthusiastic – showing a lot of excitement and interest in something
   – 열정적인
   – She was very enthusiastic about the idea of starting her own business.

2. Diligent – showing care and effort in one's work or duties
   – 근면한
   – The diligent student always completes her homework on time.

3. Inquisitive – curious and eager to learn and explore
   – 호기심이 강한
   – The inquisitive child asked many questions about the world around him.

ChatGPT

4. Amicable – friendly and peaceful in nature
  – 우호적인
  – The way you handled that argument was very amicable.

5. Resilient – able to recover quickly from difficult situations
  – 탄력적인
  – Despite facing many obstacles, she remained resilient and continued to pursue her goals.

6. Tenacious – determined to persist or succeed
  – 끈질긴
  – The tenacious athlete trained hard every day to achieve her goals.

7. Pensive – deep in thought and contemplation
  – 사색에 잠긴
  – The pensive artist spent hours contemplating the meaning of life.

8. Eclectic – varied and diverse in one's tastes and interests
  – 다방면에 걸친
  – Her eclectic taste in music ranged from classical to hip–hop.

9. Erudite – having or showing extensive knowledge, learning, culture
  – 박식한
  – The erudite professor was known for his vast knowledge of literature and history.

10. Superfluous – unnecessary and excessive
  – 불필요한
  – The report contained many superfluous details that could have been omitted.

챗GPT는 아래와 같이 구동사를 익히는 데도 도움이 됩니다. 챗GPT는 대화에서 자연스러운 구동사를 사용할 수 있도록 도와줍니다. 영어 회화를 배우듯이, 일상생활에서 자주 쓰이는 표현을 익히는 데 도움이 됩니다.

─────────────(예시)─────────────

다음 프롬프트 공식에 따라 실제로 질문해보고 도움을 받아보겠습니다.

Can you recommend some phrasal verbs that I can utilize during our conversation? (구동사 정리가 필요할 때)

 Can you recommend some phrasal verbs that I can utilize during our conversation?

 Sure, here are some phrasal verbs you can use:

ChatGPT

1. Look forward to − to feel excited and positive about something that is going to happen in the future
2. Get along with − to have a friendly relationship with someone
3. Give up − to stop trying to do something
4. Come up with − to think of or suggest an idea or plan
5. Turn down − to reject an offer or request
6. Run out of − to exhaust the supply of something
7. Figure out − to solve or understand a problem or situation
8. Put off − to postpone or delay something
9. Set up − to arrange or establish something
10. Bring up − to introduce a topic or start a discussion about something

2. 영어 문법 설명 및 문법 오류 찾기

챗GPT는 영어 문법을 공부하는 최고의 학습 도구입니다. 학교나 학원에서 이해가 가지 않던 영어 문법을 구체적으로 질문하면 영어 문법 학습 자료와 함께 친절한 설명을 해줍니다. 그리고 여러분이 작성한 영어 문장이나 에세이의 문법 오류를 체크하고 피드백을 남겨줍니다. 영어 빈칸 채우기 문제를 만들 수 있습니다. 이렇게 챗GPT를 활용하면, 여러분은 더 이상 문법을 걱정하지 않고 자신 있게 영어를 배우고 사용할 수 있습니다.

하우쌤의
챗GPT 학습법 프롬프트 공식

- What is the present perfect tense? ('현재 완료 시제'에 대해 설명해주세요.)
- How do you form the comparative and superlative forms of adjectives? (형용사의 비교급과 최상급 형태를 어떻게 만드는지에 대해서 설명해주세요.)
- What is a subject-verb agreement? ('주어와 동사의 일치'에 설명해주세요.)
- What are the different types of adverbs? ('부사의 다양한 유형'에 대해 설명해주세요.)
- How do you use modal verbs? ('조동사를 어떻게 사용하는지'에 대해 설명해주세요.)
- What is a relative pronoun? ('관계 대명사'에 대해 설명해주세요.)
- How do you use prepositions? ('전치사를 어떻게 사용하는지'에 대해 설명해주세요.)
- What is the difference between countable and uncountable nouns? ('가산명사와 불가산명사의 차이'에 대해 설명해주세요.)

※ 영어 또는 한글로 질문할 수 있습니다. 답변이 영어로 제시되어 이해가 안된다면, 프롬프트에 "한글로 설명해주세요"라고 덧붙이면 친절하게 챗GPT가 한글로 영어 문법 설명을 해줍니다.

※ '노래로 암기할 수 있게 정리해주세요', '리스트 형식으로', '표 형식으로', '실제 사용한 영어 문장을 많이 제시해주세요'와 같은 요청 사항을 추가할 수도 있습니다.

※ 위의 프롬프트 공식 예시를 바탕으로 여러분이 궁금한 문법 설명을 질문할 수 있습니다.
  예 "현재 완료 시제에 대해 설명해주세요." → "과거 시제에 대해 설명해주세요."

예시 ① 현재 완료 시제를 질문할 때

 What is the present perfect tense?

ChatGPT The present perfect tense is a verb tense used to connect the present with the past. It is used to describe actions or events that started in the past and continue up to the present or have just been completed. The present perfect tense is formed using "have/has + past participle" of the verb.

For example, in the sentence "I have studied English for six years," the present perfect tense is "have studied". This sentence indicates that the speaker started studying English six years ago and continues to study it now.

The present perfect tense can also be used to talk about experiences, changes over time, and unfinished actions. For example, "She has traveled to many countries" describes her experiences, "He has grown a lot taller since last year" describes a change over time, and "They haven't finished the project yet" describes an unfinished action.
It's important to note that the present perfect tense can be tricky because it's often used in combination with other time expressions, such as "already", "just", "ever", "never", "yet", and "for" or "since" to indicate a specific time period.

 한글로 설명해주세요.

ChatGPT 현재 완료 시제는 현재와 과거를 연결하는 동사 시제입니다. 이 시제는 과거에 시작된 일이 현재까지 계속되거나 방금 완료된 것을 나타내기 위해 사용됩니다. 현재 완료 시제는 동사의 과거분사형 뒤에 'have/has'를 붙여서 형성됩니다.
예를 들어, '나는 6년 동안 영어를 공부했다'는 문장에서 'have studied'가 현재 완료 시제입니다. 이 문장은 과거 6년간 영어를 공부했으며 현재도 공부하고 있다는 의미를 가집니다.
현재 완료 시제는 경험, 시간에 따른 변화, 미완료된 행동을 나타내는 데에도 사용됩니다. 예를 들어, '그녀는 많은 나라를 여행했다'는 경험을 나타내는 문장입니다. '그는 작년보다 훨씬 키가 많이 자랐다'는 시간에 따른 변화를 나타내는 문장입니다. '그들은 아직 프로젝트를 끝내지 않았다'는 미완료된 행동을 나타내는 문장입니다.
하지만 현재 완료 시제는 already, just, ever, never, yet, for, since와 같은 다른 시간 표현과 함께 사용되므로, 문맥에 따라 정확하게 사용하는 것이 중요합니다.

예시 ② '형용사의 비교급과 최상급 형태'를 질문할 때

 What is the 형용사의 비교급과 최상급 형태를 어떻게 만드는지에 대해서 설명해주세요.

ChatGPT
형용사의 비교급과 최상급 형태를 만드는 방법은 간단합니다. 대부분의 형용사는 −er와 −est를 붙여 비교급과 최상급 형태를 만듭니다. 하지만 몇몇 형용사는 규칙적이지 않은 변화를 겪으며 비교급과 최상급 형태를 만듭니다.

– 규칙적인 변화를 겪는 형용사:
대부분의 형용사는 −er와 −est를 붙여 비교급과 최상급 형태를 만듭니다. 예를 들어, big은 bigger와 biggest로 변합니다. Cold는 colder와 coldest로 변합니다.

– 규칙적이지 않은 변화를 겪는 형용사:
일부 형용사는 규칙적인 변화를 겪지 않기 때문에 비교급과 최상급 형태를 만들 때 다른 방법을 사용해야 합니다. 예를 들어, good은 better와 best로 변합니다. Bad는 worse와 worst로 변합니다.

또한, 2가지 이상의 형용사를 사용할 때는 more와 most를 사용합니다. 예를 들어, interesting과 funny를 함께 사용하여 더 재미있고 더 재밌는이라고 말하고 싶을 때는 'more interesting and more funny'라고 표현합니다.
이렇게 형용사의 비교급과 최상급 형태를 정확히 사용하면, 문장에서 묘사하는 대상이 다른 대상과 어떻게 비교되는지 효과적으로 표현할 수 있습니다.

예시 ③ '주어와 동사의 일치'를 질문할 때

 '주어와 동사의 일치'에 설명해주세요.

ChatGPT
주어와 동사의 일치는 문장에서 주어와 동사가 서로 일치해야 한다는 문법 규칙입니다. 일반적으로 주어가 단수이면 동사도 단수여야 하고, 주어가 복수이면 동사도 복수여야 합니다.
예를 들어, 'He walks to school'와 'They walk to school'에서 walk는 주어인 He와 They의 수에 맞게 단수와 복수로 일치합니다.

하지만 주어가 다수의 인칭 중 하나인 경우, 즉 we, you, they와 같은 경우 동사는 항상 복수로 사용됩니다. 예를 들어, 'We are going to the movies'와 'They are going to the movies'에서 are는 주어인 We와 They의 수에 맞게 복수로 일치합니다.

또한, 문장에서 주어가 each, every, either, neither, none과 같은 양의 부사와 함께 사용되면 동사는 단수로 사용됩니다. 예를 들어, 'Every student knows the answer'와 'None of the books is mine'에서 knows와 is는 각각 Every student와 None과 일치합니다.

주어와 동사의 일치는 문장의 의미와 문법적인 정확성을 유지하는 데 매우 중요합니다. 따라서 영어를 사용할 때는 주어와 동사의 수가 일치하도록 주의해야 합니다.

예시 ④ '부사의 다양한 유형'에 대해 질문할 때

'부사의 다양한 유형'에 대해 설명해주세요. (리스트 형식)

부사는 다양한 종류로 분류될 수 있습니다. 아래는 부사의 다양한 유형을 나열한 리스트입니다.

1. 동사 부사(adverbs of manner): 어떻게 동작하는지 나타냅니다. 예: quickly(빠르게), slowly(느리게)
2. 장소 부사(adverbs of place): 어디서 일어나는지 나타냅니다. 예: here(여기), there(거기)
3. 시간 부사(adverbs of time): 언제 일어나는지 나타냅니다. 예: now(지금), later(나중에)
4. 정도 부사(adverbs of degree): 얼마나 나타내는지 나타냅니다. 예: very(매우), too(너무)
5. 빈도 부사(adverbs of frequency): 얼마나 자주 나타나는지 나타냅니다. 예: always(항상), never(절대로)
6. 양식 부사(adverbs of manner): 특정한 상황에서 어떻게 사용되는지에 따라 형성됩니다. 예: well(잘), fast(빠르게)
7. 문맥 부사(adverbs of discourse): 전체 문장이나 상황에서 어떤 역할을 하는지 나타냅니다. 예: anyway(어쨌든), moreover(게다가)
8. 연결 부사(adverbs of conjunction): 문장이나 절을 연결하는 데 사용됩니다. 예: however(그러나), therefore(그래서)
9. 대명사 부사(adverbs of pronoun): 대명사와 비슷한 기능을 하며, 주로 비교나 대조를 나타냅니다. 예: similarly(비슷하게), on the other hand(반면에)
10. 인터젝션 부사(adverbs of interjection): 놀람, 충격, 감탄 등의 감정을 나타냅니다. 예: wow(와우), oh(오)

> 부사는 문장에서 다양한 역할을 하며, 올바르게 사용함으로써 문장의 의미를 명확하게 전달할
> 수 있습니다.
ChatGPT

예시 ⑤ '조동사의 사용'에 대해 질문할 때

※ 실제 사용 예시를 더 많이 요청할 수도 있습니다.

> '조동사를 어떻게 사용하는지'에 대해 설명해주세요. ← 실제 사용한 영어 문장을 많이 제시해주세요.

> 조동사는 동사 앞에 오면 그 동사의 뜻을 바꾸어서 문장의 의미를 다르게 해주는 역할을 합니
> 다. 주로 추측, 의무, 가능성, 허가, 희망, 불행 등의 감정과 관련된 표현에서 사용됩니다.
ChatGPT
> 아래는 조동사를 사용한 영어 문장의 예시입니다.
>
> 1. 추측 (Modals of deduction): must, might, could, may, can't
>   - He must be studying for his exam. (그는 시험공부를 하고 있을거야.)
>   - She might have gone to the store. (그녀는 매장에 갔을 수도 있어.)
>   - The answer could be 42. (정답은 42일 수도 있어.)
>
> 2. 의무 (Modals of obligation): must, have to, should, ought to
>   - You must finish your homework before you can watch TV. (TV를 보기 전에 숙제를 끝내
>   야 해.)
>   - I have to go to work today. (나는 오늘 출근해야 해.)
>   - You should study harder if you want to pass the test. (시험에 합격하려면 열심히 공부해
>   야 해.)
>
> 3. 가능성 (Modals of possibility): may, might, could
>   - It may rain later. (나중에 비가 올 수도 있어.)
>   - He might be at home now. (그는 지금 집에 있을지도 모르겠어.)
>   - The flight could be delayed. (비행기가 지연될 수도 있어.)
>
> 4. 허가 (Modals of permission): can, may
>   - Can I leave early today? (오늘 일찍 떠나도 될까요?)
>   - May I use your computer? (당신 컴퓨터 쓰도 될까요?)

ChatGPT

5. 희망 (Modals of wish): would, could, might
  – I wish I could speak French fluently. (나도 프랑스어를 유창하게 말할 수 있으면 좋겠어.)
  – Could you pass me the salt, please? (소금 좀 건네주실래요?)
  – I might go to the gym later if I have time. (시간이 되면 나중에 체육관에 갈지도 몰라.)

조동사는 문장에서 사용할 수 있는 유용한 도구 중 하나입니다. 올바르게 사용하면, 문장의 뜻을 명확하게 전달하고 효과적으로 표현할 수 있습니다.

예시 ⑥ '관계 대명사'에 대해 질문할 때

 '관계 대명사'에 대해 설명해주세요. (표 형식)

 아래는 관계 대명사에 대한 설명과 예시입니다.
ChatGPT

관계 대명사	설명	예시
who	사람을 나타내며, 주로 주어로 사용됩니다.	The man who is standing over there is my father. (거기 서 있는 사람은 내 아버지야.)
whom	사람을 나타내며, 주로 목적어로 사용됩니다.	The woman whom I met yesterday is a famous actress. (나는 어제 만난 여자가 유명한 배우야.)
which	사물이나 동물을 나타내며, 주로 주어나 목적어로 사용됩니다.	The book which is on the table is very interesting. (테이블 위에 있는 책은 매우 흥미롭다.)
that	사람, 사물, 동물 모두를 나타내며, 주로 주어나 목적어로 사용됩니다. which 대신 사용 가능합니다.	The car that I bought last week is very fast. (나는 지난 주 샀던 차가 매우 빠르다.)
whose	소유를 나타내며, 주로 명사 뒤에 옵니다.	The girl whose name is Jane is my friend. (제인이라는 이름을 가진 그 소녀는 내 친구야.)
where	장소를 나타내며, 주로 부사절에서 사용됩니다.	The park where we played soccer yesterday is very big. (우리가 어제 축구를 한 공원은 매우 크다.)
when	시간을 나타내며, 주로 부사절에서 사용됩니다.	The day when we met for the first time was very special. (우리가 처음 만난 날은 매우 특별했다.)

ChatGPT 관계 대명사는 문장에서 다른 문장이나 절과 연결하여, 단어들의 의미를 명확하게 전달할 수 있도록 도와줍니다. 이를 올바르게 사용함으로써 문장의 길이와 복잡성을 줄일 수 있습니다.

관계대명사의 용법에 대해서 더 자세히 설명해주세요. (리스트 형식으로)

ChatGPT 관계 대명사는 문장에서 다른 절이나 문장과 연결하여, 단어들의 의미를 명확하게 전달할 수 있도록 도와줍니다. 아래는 관계 대명사의 용법에 대한 자세한 설명입니다.

1. 주어로 사용하기 – who, that
   - The man who is talking to you is my brother. (당신과 말하고 있는 그 남자는 내 형이야.)
   - The book that I am reading is very interesting. (내가 지금 읽고 있는 책은 매우 흥미로워.)

2. 목적어로 사용하기 – whom, that
   - The woman whom I met yesterday is a doctor. (나는 어제 만난 여자가 의사야.)
   - The car that I bought last week is very fast. (나는 지난 주 샀던 차가 매우 빠르다.)

3. 소유를 나타내기 – whose
   - The boy whose father is a pilot is very smart. (아버지가 조종사인 그 소년은 매우 똑똑하다.)

4. 사물을 나타내기 – which, that
   - The pen which I lost yesterday was expensive. (내가 어제 분실했던 펜은 비싸다.)
   - The dress that she is wearing is very pretty. (그녀가 입고 있는 드레스는 매우 예쁘다.)

5. 시간과 장소를 나타내기 – where, when, in which
   - The place where we met for the first time is now a coffee shop. (우리가 처음 만났던 장소는 지금은 커피숍이다.)
   - The day when we went to the beach was very hot. (우리가 해변에 간 그 날은 매우 더웠다.)
   - The city in which I was born is very beautiful. (나의 출생지인 그 도시는 매우 아름답다.)

6. 선택적 사용 – who, whom, that, which, whose
   - The girl, who/whom/that/which/whose name is Sarah, is my best friend. (제 이름이 Sarah인 그 소녀는 내 최고의 친구야.)

관계 대명사를 올바르게 사용하면 문장이 더욱 간결하고 명확하게 전달됩니다. 따라서 문장을
ChatGPT 작성할 때 관계 대명사를 적절히 활용하여 효과적으로 표현할 수 있도록 노력해야 합니다.

예시 ⑦ '전치사'에 대해 질문할 때

※ 노래로 전치사를 암기할 수 있게 멜로디를 요청할 수도 있습니다.

 '전치사를 어떻게 사용하는지'에 대해 설명해주세요. (노래로 암기할 수 있게 정리해주세요)

 전치사는 문장에서 명사나 대명사 등의 다른 단어와 함께 쓰여 그 단어가 어떤 위치에 있거나
ChatGPT 어떤 상태에 있는지를 나타내는 역할을 합니다. 전치사는 다양한 용도와 의미를 가지고 있으며,
예를 들어 위치, 방향, 시간, 수단, 원인 등을 나타내는데 사용됩니다.
아래는 전치사에 대한 설명을 노래 가사로 정리해봤습니다. 이를 활용하면 전치사의 종류와 사
용법을 노래로 쉽게 암기할 수 있습니다.

(멜로디: 영어 동요 'Twinkle, Twinkle, Little Star')

Prepositions, prepositions, they tell us where and when
Above, below, in front of, behind, beside, and beyond

Prepositions, prepositions, they show us how to go
Through, around, by, with, over, and below

Prepositions, prepositions, they tell us why and more
For, of, because, since, until, on behalf of

Prepositions, prepositions, they help us to be clear
About, except, within, without, and into, near and far

Prepositions, prepositions, they are small but strong
Use them well and you'll know how to get along!

예시 ⑧ '가산명사와 불가산 명사의 차이'에 대해 질문할 때

 '가산명사와 불가산명사의 차이'에 대해 설명해주세요.

 명사는 가산 명사와 불가산 명사로 나눌 수 있습니다. 이 둘의 차이점은 물건이나 개념 등을 세어
ChatGPT 보는 방법입니다.

　　－ 가산 명사는 개별적으로 세어서 수량을 나타낼 수 있는 명사입니다.
　　－ 예시: apple, book, dog, pen, car 등
　　－ 가산 명사는 복수형 형태로 만들 수 있습니다. (apple – apples, book – books)
　　－ 불가산 명사는 수량을 셀 수 없는, 셀 수 없는 물질이나 추상적인 개념을 나타내는 명사입니다.
　　－ 예시: water, sugar, air, love, information 등
　　－ 불가산 명사는 복수형 형태를 취할 수 없습니다.

영어에서 가산 명사와 불가산 명사의 구분은 중요합니다. 예를 들어, 수량을 나타내는 표현에서
는 가산 명사에는 a, an, some, many와 같은 표현을 사용하고, 불가산 명사에는 some, much
와 같은 표현을 사용합니다.
또한, 어떤 명사가 가산 명사인지 불가산 명사인지 알아보는 것은 중요한데, 예를 들어 coffee는
불가산 명사이므로 a coffee는 잘못된 사용입니다. 올바른 사용은 a cup of coffee이나 some
coffee입니다.
따라서 영어에서 명사를 사용할 때 가산 명사와 불가산 명사를 구분하여 사용하면 올바른 표현
을 사용할 수 있습니다.

3. 일상적 대화 스크립트 만들기

챗GPT에게 특정 주제나 상황에 대화에 대한 스크립트 대본을 요청하면, 여러분이 말한
조건의 대화를 만들어 줍니다. 이 자료를 활용하여 여러분은 발음, 어휘, 문장 구조 등을
연습하는 데 도움을 받을 수 있습니다. 그리고 영어 말하기 연습을 할 때, 여러분의 영어
말하기 음성을 녹음 프로그램의 도움을 받아 '텍스트' 형식으로 바꾸어 챗GPT에게 피드백
을 받을 수도 있습니다.

- Write a conversation at the school. (학교에서 일어날 수 있는 영어 대화를 만들어주세요)
- Write a conversation at the restaurant. (식당에서 일어날 수 있는 영어 대화를 만들어주세요)
- Write a conversation between two friends about favorite foods. (좋아하는 음식에 대해 영어로 이야기 나누는 두 사람의 영어 대화를 만들어주세요)
- What should I say to my teacher if I want to know how to study math? (영어 대화 형식)

※ '한글로 번역도 해주세요', '다른 상황에도 한 가지 더 만들어주세요', '수준(초ㆍ중ㆍ고등학생)', '친한사람들끼리의 대화''유용한 vocabulary도 별도로 정리', '말하는 사람의 기분 상태'와 같은 정보를 더 추가해서 답변을 요청할 수도 있습니다.

위의 프롬프트처럼 챗GPT에게 물어보는 것은 다양한 상황에서 영어 말하기를 하거나 작문 연습을 할 수 있기 때문에 영어 공부를 할 때 좋은 점이 많습니다.

예시 ①

 학교에서 일어날 수 있는 영어 대화를 만들어주세요.
한글로 번역도 해주세요.

ChatGPT

A: Hi, have you finished your homework?
B: No, I haven't. I'm still working on it. How about you?
A: I finished it last night. What subject do you find the hardest?
B: Math is definitely the hardest for me. I'm just not good at numbers.
A: I know what you mean. I struggle with math too. Do you have any plans for the weekend?
B: Not yet. How about you?
A: I'm thinking about going to the movies on Saturday. Do you want to come with me?
B: Sure, that sounds like fun.

ChatGPT
한글:
A: 안녕, 숙제 다 끝냈어?
B: 아직 끝내지 못했어. 여전히 작업 중이야. 너는 어때?
A: 어젯밤에 끝냈어. 어떤 과목이 가장 어려운 거 같아?
B: 수학이 확실히 제일 어려워. 숫자에 약해.
A: 알겠어. 나도 수학이 어려워. 주말에 계획 있어?
B: 아직 없어. 너는?
A: 토요일에 영화 보러 가려고 생각 중이야. 같이 가고 싶어?
B: 좋아, 재밌을 거 같아.

학교에서의 다른 상황도 한 가지 더 만들어주세요.

ChatGPT
A: Hey, did you hear about the school festival coming up next month?
B: No, what's going on?
A: It's a big event where all the different clubs and teams put up booths and performances. It's going to be so much fun!
B: Sounds cool. Which club are you a part of again?
A: I'm in the photography club. We're planning to display some of our best shots at the festival.
B: That's awesome. I'm in the choir, and we're working on a special performance for the event.
A: Wow, I can't wait to see it! Are you nervous about performing in front of so many people?
B: A little bit, but I think we'll be ready by then. How about you? Are you nervous about displaying your photos?
A: Yeah, I am. But I'm also excited to share my work with everyone. It's going to be a great experience.

ChatGPT 한글:

A: 야, 다음 달에 열리는 학교 축제에 대해 들었어?

B: 아니, 무슨 일이야?

A: 다양한 동아리와 팀들이 부스와 공연을 선보이는 대규모 행사인 거 같아. 정말 재밌을 거야!

B: 좋아 보이는데. 너는 어떤 동아리에 속해 있지?

A: 나는 사진 동아리에 속해 있어. 축제에 우리 동아리에서 찍은 사진 몇 개를 전시할 계획이야.

B: 멋지다! 나는 합창단에 속해 있어서 특별한 공연을 준비하고 있어.

A: 와, 기대돼! 많은 사람들 앞에서 공연할 거라 떨리지는 않아?

B: 조금은 떨리긴 하지만, 축제 때까지 준비를 잘 하면 괜찮을 거야. 너는 사진 전시하는 게 신경 쓰이니?

A: 응, 그래. 근데 내 작품을 여러 사람에게 보여준다는 게 기대돼. 멋진 경험이 될 거야.

예시 ②

 식당에서 일어날 수 있는 영어 대화를 만들어주세요. (고등학교 수준, 친한 사이의 사람들끼리 나누는 대화)

ChatGPT

A: Hey, have you tried this restaurant before?

B: No, I haven't. Is the food good here?

A: Yes, it's really good. I especially love their pasta dishes.

B: Hmm, maybe I'll try that then. What do you recommend?

A: The carbonara is really good, but it can be a bit heavy. If you want something lighter, the aglio e olio is a good choice.

B: Thanks for the recommendation. Do they have vegetarian options?

A: Yes, they do. Their eggplant parmesan is amazing.

B: Sounds good, I'll try that. Oh, and what about drinks? Any recommendations?

A: Their sangria is great, but if you want something non-alcoholic, the iced tea is really refreshing.

B: Perfect, I think I know what I'm getting now. Thanks for the help!

A: No problem, enjoy your meal!

ChatGPT 한글 해석:

A: 이 식당에서 먹어 본 적 있어?

B: 아니, 처음이야. 여기 음식 맛있어?

A: 음, 정말 맛있어. 특히 파스타 요리가 좋아.

B: 음, 그럼 그걸 시켜볼까. 어떤 걸 추천해?

A: 카르보나라가 정말 맛있어. 그러나 조금 무거울 수도 있어. 가벼운 걸 원하면 알리오올리오가 좋아.

B: 추천해줘서 고마워. 채식주의자용 옵션도 있어?

A: 네, 있어. 가지 파마산이 진짜 맛있어.

B: 좋아, 그걸 시켜볼게. 그리고 음료는? 추천할 만한 거 있어?

A: 상그리아가 좋은데, 알코올 없이 마실 거면 아이스티가 상쾌해.

B: 좋아, 이제 뭐 시킬 지 알겠어. 도와줘서 고마워!

A: 좋아, 식사 맛있게 즐겨!

예시 ③

 좋아하는 음식에 대해 영어로 이야기 나누는 두 사람의 영어 대화를 만들어주세요.
(유용한 vocabulary도 별도로 정리)

 A: Hi, John! What's your favorite food?

ChatGPT B: Hi, Emily! My favorite food is pizza. How about you?

A: Oh, pizza is great! My favorite food is sushi.

B: Sushi? That's interesting. Have you tried any unique rolls?

A: Yes, I love trying different types of sushi rolls. One of my favorites is the dragon roll.

B: Dragon roll? I've never tried that one before. What's in it?

A: It has eel, avocado, and cucumber inside, and it's topped with thinly sliced avocado and eel sauce. It's really tasty!

B: That sounds delicious! I'll have to try it sometime. I love trying new foods too. Do you like to cook?

A: Yes, I do! I like to experiment with different ingredients and make new dishes.

B: That's great! I wish I could cook more, but I usually just end up ordering takeout.

A: Well, if you ever want to learn some easy recipes, I'd be happy to show you.

B: That would be awesome! Thanks, Emily.

Vocabulary:
ChatGPT
- favorite(좋아하는)
- unique(독특한)
- rolls(롤)
- dragon roll(드래곤 롤)
- eel(장어)
- avocado(아보카도)
- cucumber(오이)
- thinly sliced(얇게 썬)
- eel sauce(장어 소스)
- delicious(맛있는)
- experiment(실험하다)
- ingredients(재료)
- dishes(요리)
- takeout(배달음식)

예시 ④

 What should I say to my teacher if I want to know how to study math? (영어 대화 형식, 중학생 수준)

 Student: Hi, Teacher. I hope you're doing well. I wanted to ask you something.
ChatGPT Teacher: Of course, what's on your mind?
Student: I'm having some trouble studying math, and I was wondering if you could give me some guidance. I really want to improve my math skills. Could you please help me?
Teacher: Absolutely! I'm glad you reached out. Math can be challenging, but with the right approach, you can definitely excel. First, let's start by understanding which specific areas you're struggling with. Are there any particular topics or concepts that you find difficult?
Student: Well, I have difficulty understanding algebraic equations and solving word problems. They seem to be the most confusing for me.
Teacher: That's understandable. Algebra and word problems can be tricky at first. Don't worry, though. I'll be glad to help you with those.

4. 빈칸 채우기 문제 만들기

챗GPT는 영어 빈칸 채우기 문제를 만들 수 있습니다. 아래의 프롬프트를 챗GPT에게 입력하면 영어 빈칸 채우기 문제를 만들 수 있습니다. 그리고 여러분이 생각한 답을 입력하고, 챗GPT의 문법, 어휘와 관련된 설명과 피드백도 받을 수 있습니다. 이렇게 챗GPT를 활용하면, 여러분은 영어 실력을 확인하고, 문제를 풀며 적극적으로 학습에 참여할 수 있습니다.

하우쌤의
챗GPT 학습법 프롬프트 공식

※ 꼭 아래와 같이 영어로 입력해주세요. 영어로 입력하면 챗GPT가 영어 빈칸 채우기 명령을 더 쉽게 이해할 수 있어요. 한글로 입력하면 오류가 날 수 있으니 주의하세요!

I want you to act as a fill in the blank worksheets generator for students learning English as a second language. Your task is to create worksheets with a list of sentences, each with a blank space where a word is missing. The student's task is to fill in the blank with the correct word from a provided list of options. The sentences should be grammatically correct and appropriate for students at _____ (빈칸 채우기 문제 수준) _____. Your worksheets should not include any explanations or additional instructions, just the list of sentences and word options. To get started, please provide me with a list of words and the only one sentence containing the one blank space where one of the words should be inserted.

※ 여러분의 이해를 돕기 위해 위의 내용을 쉽게 번역해보았어요.
여러분의 역할은 영어를 배우는 학생들을 위한 빈칸 채우기 문제를 만드는 일입니다. 즉, 단어가 빠진 곳에 빈칸이 있는 문장 목록을 만드는 것입니다. 문제를 푸는 사람의 임무는 제공된 옵션 단어 목록에서 올바른 단어를 선택해 빈칸을 채우는 것입니다. 문장들은 문법적으로 정확해야 하며 _____ (빈칸 채우기 문제 수준) _____ 의 학생들에게 적합해야 합니다. 문제에는 설명이나 추가 지시사항이 포함되어서는 안 되며, 문장 목록과 단어 옵션만 있어야 합니다. 시작하려면, 단어 목록과 그 단어 중 하나가 들어갈 빈칸이 있는 문장 한 개를 제공해주세요.

이런 방식으로 챗GPT와 함께 영어 공부를 하면 영어 단어 선택지를 포함한 영어 문장을 만들어 빈칸을 적절한 영어 단어로 채우는 연습을 할 수 있습니다. 여러분은 올바른 문법적 구성과 영어 단어 사용 방법을 연습하며, 영어 실력을 향상할 수 있습니다. 또한, 정답을 확인함으로써 학습 결과를 확인하고, 부족한 부분을 보완할 수 있습니다. 혹시 위의 프롬프트 공식을 입력했을 때 아래의 내용과 다르게 나온다면 스스로 프롬프트를 수정해볼 수 있습니다.

─────────────── (예시) ───────────────

다음 프롬프트 공식에 따라 실제로 질문해보고 도움을 받아보겠습니다.

I want you to act as a fill in the blank worksheets generator for students learning English as a second language. Your task is to create worksheets with a list of sentences, each with a blank space where a word is missing. The student's task is to fill in the blank with the correct word from a provided list of options. The sentences should be grammatically correct and appropriate for students at _____ (빈칸 채우기 문제 수준)___. Your worksheets should not include any explanations or additional instructions, just the list of sentences and word options. To get started, please provide me with a list of words and the only one sentence containing the one blank space where one of the words should be inserted.

 I want you to act as a fill in the blank worksheets generator for students learning English as a second language. Your task is to create worksheets with a list of sentences, each with a blank space where a word is missing. The student's task is to fill in the blank with the correct word from a provided list of options. The sentences should be grammatically correct and appropriate for students at an intermediate level of English ability. Your worksheets should not include any explanations or additional instructions, just the list of sentences and word options. To get started, please provide me with a list of words and the only one sentence containing the one blank space where one of the words should be inserted.

Certainly! Here's a list of words and a sentence with a blank space for your fill-in-the-blank worksheet:

Word list:
1. Happiness
2. Exciting
3. Delicious
4. Exploring
5. Beautiful

Sentence:
1. The children were _____ when they saw the presents under the Christmas tree.

정답은 5번입니다.

잘했습니다. 정답은 5번 "Beautiful"입니다.

다른 문제도 출제해주세요

Certainly! Here's another sentence for your fill-in-the-blank worksheet:

Word list:
1. Interesting
2. Friendly
3. Confident
4. Successful
5. Challenging

Sentence:
1. Learning a new language can be _____, but it is also rewarding.

5번입니다.

 잘했습니다. 정답은 5번 "Challenging"입니다. 다른 문제를 추가로 출제해드릴까요?

ChatGPT

5. 영어로 된 글 번역하기

챗GPT는 기계 학습을 통해 매우 다양한 영어 문서, 책, 뉴스 등의 자료를 학습하고 자동 번역 기술을 제공합니다. 그래서 영어로 된 글이나 문장을 읽고 요약하고, 번역하는 데 있어 매우 뛰어난 성능을 보여줍니다. 이를 통해 여러분은 영어로 작성된 글을 손쉽게 이해하고, 다른 언어로 번역하는 것도 가능합니다.

하우쌤의
챗GPT 학습법 프롬프트 공식

※ 꼭 아래와 같이 영어로 입력해주세요. 영어로 입력하면 챗GPT가 영어 빈칸 채우기 명령을 더 쉽게 이해할 수 있어요. 한글로 입력하면 오류가 날 수 있으니 주의하세요!

I want you to act as an English translator, spelling corrector and improver. I will speak to you in any language and you will detect the language, translate it and answer in the corrected and improved version of my text, in Korean. I want you to replace my words and sentences with simple and easy words and sentences to understand. Keep the meaning same, but make them simple. I want you to only reply the correction, the improvements and nothing else, do not write explanations. My first senteces are as follows.
_____(번역하려는 글의 내용)_____

※ 여러분의 이해를 돕기 위해 위의 내용을 쉽게 번역해보았어요.
　저는 당신이 영어 번역가, 철자 수정자 역할을 하길 원합니다. 당신에게 어떤 언어로든 말하든 당신은 그 언어를 감지하고 한국어로 번역해야 합니다. 당신은 내 단어와 문장을 이해하기 쉬우며, 단순하고 간단한 단어와 문장으로 바꾸어야 합니다. 의미는 그대로 유지하되, 간단하게 만들어주세요. 당신은 오직 번역하고 수정하는 답변을 해야 합니다. 다른 설명을 하지 않아도 됩니다. 저의 첫 번째 문장들은 다음과 같습니다.

위와 같은 프롬프트를 사용하면 영어 번역 및 철자 수정 연습을 할 수 있습니다. 챗GPT가 영어를 한글로 번역하면서 철자와 문법 등을 수정하고 개선해주기 때문입니다. 여러분은 영어 문장의 구성과 올바른 철자 사용 방법을 익히며, 영어 번역 능력과 문장 수정 능력을 향상시킬 수 있습니다. 또한, 답변을 통해 자신이 놓치고 있던 영어 실력의 부족한 부분을 확인하고 보완할 수 있습니다. 아래처럼 실습해 봅시다.

I want you to act as an English translator, spelling corrector and improver. I will speak to you in any language and you will detect the language, translate it and answer in the corrected and improved version of my text, in Korean. I want you to replace my words and sentences with simple and easy words and sentences to understand. Keep the meaning same, but make them simple. I want you to only reply the correction, the improvements and nothing else, do not write explanations. My first senteces are as follows.

Title: Local Community Works Together to Clean Up Neighborhood Park

Residents in the Oakwood neighborhood of the city came together over the weekend to clean up a local park that had fallen into disrepair. The park, which had become overgrown with weeds and littered with trash, had become an eyesore in the community. But thanks to the hard work of the residents, the park has been transformed into a clean and inviting space once again. Volunteers spent hours pulling weeds, picking up trash, and mowing the grass. The city provided garbage bags and equipment, and local businesses donated food and drinks for the volunteers."We're so grateful for everyone who came out to help," said Jane Smith, a resident of the neighborhood. "This park is such an important part of our community, and it's great to see it being taken care of again." The cleanup effort was organized by a group of local residents who were concerned about the state of the park. They hope that the community will continue to come together to maintain the park in the future."We want this park to be a place where families can come and enjoy the outdoors," said John Doe, one of the organizers. "We hope that this cleanup effort will inspire others to get involved and help us keep the park looking great." The park is now open to the public again, and residents are encouraged to come and enjoy the newly revitalized space.

ChatGPT

제목: 지역 사회는 동네 공원 정리를 위해 함께 노력합니다.

이 도시의 오크우드 동네에 사는 주민들은 떨어져 있던 지역 공원을 정리하기 위해 주말에 모였습니다. 잡초로 가득했고 쓰레기로 얼룩진 이 공원은 지역 사회에게 시각적인 불쾌감을 주었습니다. 하지만 주민들의 노력 덕분에 이제 이 공원은 다시 깨끗하고 매력적인 공간으로 탈바꿈하였습니다. 자원봉사자들은 잡초를 뽑고 쓰레기를 주웠으며, 잔디를 깎는 등 수시로 노력했습니다. 도시는 쓰레기봉투와 도구를 제공하였고, 지역 사업체들은 자원봉사자들을 위해 음식과 음료를 기부했습니다. "도움을 주러 온 모든 분에게 정말 감사드립니다,"라고 동네 주민인 제인 스미스 씨가 말했습니다. "이 공원은 우리 지역 사회에 있어서 아주 중요한 곳이며, 다시 잘 관리되고 있는 것을 보는 것이 좋습니다." 이 정리 작업은 공원 상태에 우려를 한 일부 지역 주민들이 주도하여 조직했습니다. 그들은 지역 사회가 앞으로도 공원을 유지하는 데 함께 모이기를 바랍니다. "이 공원이 가족들이 와서 야외 활동을 즐길 수 있는 장소가 되길 바랍니다,"라고 주최자 중 한 명인 존 도 씨가 말했습니다. "이 정리 작업이 다른 사람들에게 영감을 주어 우리가 공원을 멋지게 유지하는 데 동참할 수 있기를 희망합니다." 이제 공원은 다시 대중에게 개방되었으며, 주민들은 새롭게 재생된 공간을 즐기러 오도록 권장됩니다.

6. 나만의 어휘장 만들기

여러분의 영어 공부의 제일 큰 고민은 Voca(보카)! 바로 영어 단어입니다. 챗GPT는 영어 단어장을 만드는 기능을 가지고 있습니다. 여러분이 학습하고자 하는 주제나 레벨에 맞는 단어를 선택하여 단어장을 만들 수 있습니다. 또한, 단어의 뜻과 예문을 함께 제공해서 여러분이 단어를 이해하고 사용하는 데 큰 도움이 됩니다.

하우쌤의
챗GPT 학습법 프롬프트 공식

- Make me an English vocabulary list about _____(주제)_____ ((주제) 와 관련된 영어 단어 목록을 만들어 주세요.)
- Create a list of _____(영어 단어의 개수)_____ English words related to _____(주제)_____ ((주제) 와 관련된 영어 단어를 [영어 단어의 개수]만큼 만들어 주세요.)
- Can you make a list of the most popular phrasal verbs and provide definitions and examples? (가장 많이 쓰이는 영어 구동사 목록을 만들고 의미와 예시 문장을 제공해주세요.)
- _____(관용어구가 사용되는 상황)_____ 에서 사용되는 영어 관용어구와 표현을 정리해주세요.

   ※ 위의 네 번째 프롬프트 예시와 같이 여러분이 공부하고 싶은 '관용어구 사용 상황'을 넣으면 그 상황에서 쓰이는 관용어구와 표현을 정리할 수 있습니다.

   ※ 단어장을 만들 때 '리스트 양식, 단어의 개수, 주제'를 조건으로 추가할 수 있습니다.

위의 프롬프트를 순서대로 실습해보겠습니다. 첫 번째 질문은 '주제'와 관련된 영어 단어 목록을 제공하여, 해당 주제에 대한 영어 어휘를 공부하는 데 도움이 됩니다. 한글과 영문 둘다 가능합니다.

 체육시간과 관련된 영어 단어 목록을 만들어 주세요
(영어 단어, 영어 의미, 한글 의미, 사용 예시를 리스트 형식으로)

 체육시간과 관련된 영어 단어 목록을 아래에 제시하겠습니다.

ChatGPT

1. Physical education
   - Meaning: A course or class that involves physical activity and exercise.
   - 한글 의미: 체육 교육
   - Example: I have physical education class on Mondays and Wednesdays.

2. Exercise
   - Meaning: Physical activity done to improve health or fitness.
   - 한글 의미: 운동
   - Example: I enjoy doing exercises like jogging and swimming.

3. Sports
ChatGPT
　　– Meaning: Activities involving physical exertion and skill, often in a competitive setting.
　　– 한글 의미: <u>스포츠</u>
　　– Example: I play several sports like soccer, basketball, and tennis.

4. Team
　　– Meaning: A group of people who work together to achieve a common goal, often in sports.
　　– 한글 의미: 팀
　　– Example: I'm part of the school basketball team.

5. Fitness
　　– Meaning: The condition of being physically fit and healthy.
　　– 한글 의미: 건강, 체력
　　– Example: Regular exercise is important for maintaining fitness.

6. Warm-up
　　– Meaning: A period of light exercise or stretching done before engaging in more strenuous activity.
　　– 한글 의미: 워밍업
　　– Example: We always start our gym class with a warm-up.

7. Stretching
　　– Meaning: The act of elongating or extending one's muscles to improve flexibility or prevent injury.
　　– 한글 의미: 스트레칭
　　– Example: It's important to do stretching exercises before and after workouts.

8. Physical fitness test
　　– Meaning: An assessment or evaluation of a person's physical abilities, often conducted in schools or sports settings.
　　– 한글 의미: 체력 검사
　　– Example: We had a physical fitness test to measure our strength and endurance.

 9. Coach
- Meaning: A person who trains and guides athletes or a sports team.
- 한글 의미: 코치
- Example: Our basketball coach is very knowledgeable and supportive.

10. Equipment
- Meaning: Tools or items used for a particular activity, such as sports or exercise.
- 한글 의미: 장비

아래 질문은 '주제'와 관련된 영어 단어를 일정 개수만큼 만들어 줍니다. 새로운 영어 단어를 배울 수 있고, 영어 단어의 의미와 사용법을 더 잘 이해할 수 있도록 도와줍니다.

생태계와 관련된 영어 단어를 10개만큼 만들어 주세요. (수준 : 중학생, 표 형식)
영어 단어 | 의미 | 예시

영어 단어	의미	예시
Ecology	생태학	Ecology is the study of the relationships between organisms and their environment.
Ecosystem	생태계	A forest is an example of an ecosystem that consists of various plants, animals, and microorganisms.
Habitat	서식지	The coral reef provides a habitat for a diverse range of marine organisms.
Biodiversity	생물다양성	The Amazon rainforest is known for its incredible biodiversity.
Species	종	Tigers and lions belong to the same species of big cats.
Food chain	식물 사슬	A food chain represents the flow of energy from one organism to another in an ecosystem.
Food web	식물망	A food web is a complex network of interconnected food chains in an ecosystem.

영어 단어	의미	예시
Predator	포식자	Lions are predators that hunt and feed on other animals.
Prey	희생자	Zebras are prey animals that are hunted by lions and other predators.
Producer	생산자	Plants are primary producers as they produce their food through photosynthesis.

이번에는 구동사에 대한 질문입니다. 챗GPT가 가장 많이 쓰이는 영어 구동사 목록을 정리해서 제공하고, 각 구동사의 의미와 예시 문장을 함께 알려주므로 구동사의 의미와 사용 방법을 쉽게 이해할 수 있도록 도와줍니다.

가장 많이 쓰이는 영어 구동사 목록을 만들고 의미와 예시 문장을 제공해주세요.

구동사는 동사와 함께 쓰여 특정한 의미를 나타내는 동사입니다. 아래는 일상생활에서 자주 쓰이는 영어 구동사 목록과 그 의미와 예시 문장입니다.

1. Break down – 분해하다, 고장 나다
   - Can you help me break down this cardboard box?
   - My car broke down on the way to work this morning.

2. Call off – 취소하다
   - They had to call off the game due to bad weather.
   - The wedding was called off at the last minute.

3. Carry out – 수행하다, 실행하다
   - We do not ordinarily carry out this type of work.
   - The police carried out a search of the suspect's apartment.

4. Come across – 우연히 마주치다, ~처럼 보이다
   - I came across an old friend at the grocery store.
   - He comes across as a bit arrogant sometimes.

ChatGPT

5. Get along – 잘 지내다, 어울리다
  – I get along well with my coworkers.
  – How do you get along with your new roommate?

6. Give up – 포기하다
  – She gave up smoking last year.
  – Don't give up on your dreams!

7. Look after – 돌보다, 관리하다
  – I'm looking after my friend's dog while she's on vacation.
  – Who will look after the children when you're gone?

8. Look for – 찾다
  – Have you seen my keys? I've been looking for them all morning.
  – I'm looking for a new job.

9. Make up – 화해하다, 꾸미다
  – They had a big argument, but they made up later.
  – She likes to make up stories.

10. Put off – 미루다
  – I keep putting off cleaning my room.
  – Don't put off until tomorrow what you can do today.

11. Take off – 이륙하다, 벗다
  – The plane is scheduled to take off at 9:00 am.
  – It's hot in here. I'm going to take off my jacket.

12. Turn off – 끄다
  – Don't forget to turn off the lights when you leave the room.
  – This music is terrible. Can you turn it off?

13. Work out – 운동하다, 해결하다
  – I try to work out at least three times a week.
  – We need to work out a solution to this problem.

챗GPT에게 '특정 상황'을 정해주면, 그 상황에서 자주 쓰이는 미국식 영어 표현을 제공하여, 해당 상황에서 자연스러운 영어 대화를 나눌 수 있도록 도와줍니다.

 중학교 졸업식 상황에서 사용되는 영어 관용어구와 표현을 정리해주세요. (중학생 수준)

 ChatGPT 중학교 졸업식에서 사용되는 영어 관용어구와 표현을 정리해 드리겠습니다. 아래는 일반적으로 사용되는 표현들입니다:

1. Graduation ceremony: 졸업식
2. Congratulations: 축하합니다
3. Well done: 잘 했어요
4. Graduates: 졸업생들
5. Diploma: 졸업장
6. Achievement: 성과
7. Future endeavors: 앞으로의 노력
8. Proud of you: 자랑스러워요
9. Best wishes: 최선을 빌어요
10. Reach for the stars: 별을 향해 가세요
11. End of a chapter: 한 장이 끝나는 것
12. New beginnings: 새로운 시작
13. Bright future: 밝은 미래
14. Memories: 추억들
15. Farewell: 이별
16. Moving forward: 앞으로 나아가기
17. Gratitude: 감사
18. Lasting friendships: 오래 지속되는 우정
19. Bittersweet: 달콤 씁쓸한
20. Turning the page: 새로운 페이지를 넘기기

부록

하우쌤의 챗GPT
프롬프트 공식 정리

하우쌤의 챗GPT 프롬프트 공식 정리

1. 공부 계획 세우기

(1) 간단하게 공부 계획 세우기

하루에 ____(하루에 공부할 수 있는 시간)____ 시간씩 ____(공부할 수 있는 날 수)____ 일 동안 여유시간이 있습니다. ____(주제)____ 에 대한 집중적인 스터디 계획을 세워주세요.

(2) 좋아하는 학습 양식을 추가해서 계획 세우기

하루에 ____(하루에 공부할 수 있는 시간)____ 시간씩 ____(공부할 수 있는 날 수)____ 일 동안 여유시간이 있습니다. ____(주제)____ 에 대한 집중적인 스터디 계획을 세워주세요.
____(좋아하는 학습 양식)____

예시) 유튜브 영상을 통해 학습하는 것을 더 좋아합니다.

책을 읽으면서 학습하는 것을 더 좋아합니다.

직접 몸으로 체험하면서 학습하는 것을 더 좋아합니다.

선생님의 강의식 수업을 더 좋아합니다.

친구들과 함께하는 모둠학습을 더 좋아합니다.

(3) 더 자세히 공부 계획 세우기(시험 공부 계획)

- 오늘 날짜는 ____(오늘의 날짜)____ 년 ___월 ___일 ___요일이고, 시험 시작 날짜는 ___(시험 시작 날짜)___ 년 ___월 ___일 ___요일입니다. 공부해야 하는 과목은 ___(공부해야 하는 과목 이름)___ 입니다. _____(공부 계획을 세울 때 추가할 조건)_____. 이 정보들을 바탕으로 오늘부터 ___(시험 공부 마감 날짜)___ 년 ___월 ___일까지의 일일 단위의 공부 계획을 세워주세요. (리스트 형식으로)
  [공부 계획을 세울 때 추가할 조건 예시] 저는 월요일부터 금요일까지는 한 과목만 ___시간, 토요일과 일요일에는 두 과목을 총 ___시간 공부할 수 있는 시간이 있습니다. 저는 ___ 과목 공부에 다른 과목보다 더 많은 시간을 활용하도록 하겠습니다. 시험 이틀 전인 ___ 일에는 모든 과목을 복습하도록 합니다.
- 시험 공부를 하기 위한 주말(토요일, 일요일) 공부 시간 계획표를 만들어주세요.(표 형식) 공부해야 하는 과목은 ___(공부해야 하는 과목 이름)___ 입니다. _____(공부 계획을 세울 때 추가할 조건)_____.
  [공부 계획을 세울 때 추가할 조건 예시] 공부는 ___ 단위로 계속할 수 있습니다. 점심 식사 시간과 저녁식사 시간은 ___시간입니다. 쉬는 시간은 ___분입니다.

2. 문제 만들기

(1) 주제에 대한 설명도 듣고 문제도 만들기

_____(주제)_____에 대해 가르쳐주세요. 그리고 마지막에 문제를 내주세요. 한 답변마다 문제를 하나씩 내고 답을 알려주지 마세요. 제가 대답한 후에 맞는지 틀렸는지 말씀해주세요. 문제는 _____(수준)_____에 맞게 만들어주세요.

(2) 조건을 추가해서 OX퀴즈 만들기

- _____ (교과서 내용 또는 문제로 공부할 내용)

  위의 내용에 대해 OX문제를 내주세요. 당신의 대화 하나당 한 문제만 출제해주세요. 답을 알려주지 마세요. 제가 대답한 후에 맞았는지 틀렸는지 말씀해주세요. 문제는 _____(수준)_____ 수준에 맞게 만들어주세요

- _____ (교과서 내용 또는 문제로 공부할 내용)

  위의 내용에 대해 여러 개의 선택지 중에서 하나를 고르는 문제를 내주세요. 당신의 대화 하나당 한 문제만 출제해주세요. 답을 알려주지 마세요. 제가 대답한 후에 맞았는지 틀렸는지 말씀해주세요. 문제는 _____(수준)_____ 수준에 맞게 만들어주세요.

(3) 출제자 역할을 주고 문제 만들기

- 저는 당신이 _____(주제)_____에 대한 객관식 문제를 만드는 출제자 역할을 하기를 바랍니다. 다섯 가지 답안 중 하나가 정답이고 나머지 네 개가 오답인 객관식 문제를 만들어주세요. 각 답안에는 A에서 E까지의 번호가 붙어있어야 합니다. 문제는 당신의 대화 하나당 한 문제만 출제해주세요. 정답과 답안에 대한 설명은 제가 답을 한 후에 알려주세요. 시작하려면 문제를 보여주세요.

- _____ (교과서 내용 또는 문제로 공부할 내용).

  저는 당신이 위의 내용에 대한 객관식 문제를 만드는 출제자 역할을 하기를 바랍니다. 다섯 가지 답안 중 하나가 정답이고 나머지 네 개가 오답인 객관식 문제를 만들어주세요. 각 답안에는 A에서 E까지의 번호가 붙어있어야 합니다. 문제는 당신의 대화 하나당 한 문제만 출제해주세요. 정답과 답안에 대한 설명은 제가 답을 한 후에 알려주세요. 시작하려면 문제를 보여주세요.

3. 암기 자료 만들기

(1) 챗GPT에게 암기하는 방법 직접 물어보기

- 암기하려고 하는 단어 : _____

  위 단어들을 쉽게 암기하는 방법을 소개해주세요.

- 암기하려고 하는 문장 : _____

  위 문장을 쉽게 암기하는 방법을 소개해주세요.

(2) 노래로 만들어 공부하기

- ____(가수)____ 의 노래 스타일로 ____(주제)____ 을 공부할 수 있는 노래로 만들어주세요.

- _____(암기하려고 하는 내용)_____

  ____(노래)____ 의 스타일로 위의 내용을 순서대로 암기할 수 있는 노래를 만들어주세요.

4. 코딩 공부하기

(1) 코딩 개념 설명으로 공부하기

- ____(알고 싶은 코딩 개념)____ 에 대해 설명해주세요.

- ____(알고 싶은 코딩 개념)____ 에 대해 실제 코드 예시를 들어 설명해주세요.

(2) 코드 오류 수정하기

_____(프로그래밍한 코드)_____

위 ____(프로그래밍 언어)____ 코드의 잘못된 부분을 알려주세요.

(3) 미완성된 코드 완성하기

_____(프로그래밍한 코드)_____

위 ___(프로그래밍 언어)___ 코드를 완성하는 데 도움을 주세요.

(4) 작성한 코드 최적화하기

_____(프로그래밍한 코드)_____

위 ___(프로그래밍 언어)___ 코드를 더 간결하게 작성해주세요.

(5) 코딩 프로젝트 주제 추천받기

- ___(수준)___ 이 실생활 속에서 코딩을 활용할 수 있는 프로젝트를 추천해주세요.
- ___(수준)___ 이 친구들과 함께할 수 있는 실생활 관련 코딩 프로젝트를 추천해주세요.

5. 공부 상담을 해주는 챗GPT

- 저는 당신이 동기 부여 코치 역할을 해주셨으면 합니다. 누군가의 목표와 도전에 대한 정보를 제공하고, 그들이 목표를 달성할 수 있는 전략을 고안하는 것이 당신의 일입니다. 이 일에는 긍정적인 확언, 유용한 조언 제공 또는 목표 달성을 위한 활동 제안 등이 포함됩니다.

  제 첫 번째 요청 : _____**(자신의 상담 내용)**_____.

  예시) 2주 남은 중간고사 시험을 어떻게 준비해야 할지 모르겠어요. 막막합니다

- 저는 당신이 공부 학습 코치 역할을 해주셨으면 합니다. 누군가의 성공적인 학습 경험을 공유하고, 명확하고 구체적인 조언을 제공해서, 그들이 목표를 설정하고 적극적인 자세로 공부를 할 수 있게 하는 일이 당신의 일입니다. 이 일에는 이해할 수 있는 언어로 대화, 성장 가능성 강조, 공부 계획 세우기, 동기 부여하기, 스트레스 관리하기 등이 포함됩니다.

  제 첫 번째 요청 : _____**(자신의 상담 내용)**_____.

  예시) 수학 점수가 너무 안 나와요. 수학 문제를 보면 어떻게 풀어야 할지 생각이 안 납니다.

6. 모르는 단어의 의미 찾기

- 국어사전에서 _____**(단어)**_____의 뜻을 찾아주세요.
- _____**(단어)**_____이라는 말을 _____**(수준)**_____이 이해하기 쉽게 예를 들어 설명해주세요.
- _____**(속담)**_____라는 속담의 뜻은 무엇인가요?
- 고사성어 _____**(고사성어)**_____의 뜻을 예를 들어 설명해주세요.
- _____**(글의 내용)**_____.

  위 문장의 _____**(단어)**_____의 문맥적 의미는 무엇인가요?

7. 챗GPT와 글쓰기

(1) 주제 선정하기

- _____(글쓰기 목적)_____ 하는 글쓰기를 하려고 합니다. _____(주제)_____ 을(를) 다루는 글의 주제를 추천해주세요.
- ____(주제)____ , 마인드맵을 만들어주세요.
  (중심 아이디어, 주요 아이디어, 서브 아이디어를 리스트 형식으로)

(2) 글쓰기 정보 수집하기

_____(주장)_____ , _____(근거)_____ .
위의 주장과 근거로 글을 쓰려고 할 때, 근거를 뒷받침하는 자료는 어떤 것들이 있나요?

(3) 글의 개요 작성하기

- _____(주제)_____ 라는 주제로 주장하는 글을 쓰려고 합니다. 이 글의 개요도를 표 형식으로 작성해주세요.
- _____(정보)_____ 에 대해 _____(독자)_____ 에게 정보를 전달하는 글을 쓰려고 합니다. 이 글의 개요도를 리스트 형식으로 작성해주세요.
- _____(받는 사람)_____ 에게 _____(목적)_____ 하기 위한 (편지/이메일)을 쓰려고 합니다. 이 글의 개요도를 리스트 형식으로 작성해주세요.
- 대학교의 _____(학과명)_____ 학과 입학하기 위해 지원서류로 '자기소개서'를 쓰려고 합니다. _____(키워드들)_____ 을(를) 키워드로 하는, 이 글의 개요도를 리스트 형식으로 작성해주세요.

(4) 작성한 글 수정하기

- _____(작성한 글)_____, 윗글에서 문법적으로 수정이 필요한 부분을 알려주세요.
- _____(작성한 글)_____, 윗글에서 의미가 이상한 부분이 있는지 알려주세요.
- _____(작성한 글)_____, 윗글에서 중복되거나 불필요한 내용이 있는지 알려주세요.
- _____(작성한 글)_____, 윗글에서 사용한 언어나 표현이 일관성 있게 사용되었는지 확인해주세요.
- _____(작성한 글)_____, 윗글에서 논리적으로 맞지 않는 부분이 있는지 확인해주세요.
- _____(작성한 글)_____, 윗글에서 근거가 주장을 뒷받침하는지 확인해주세요.
- _____(작성한 글)_____, 윗글에서 자료가 내용을 뒷받침하는지 확인해주세요.

8. 챗GPT와 글 요약하기

- _____(요약하려는 글)_____,
  위 내용을 간략하게 요약해주세요. (100자 이하, 리스트 형식)
- _____(요약하려는 글)_____,
  위 신문기사를 __(수준)__이 이해하기 쉽게 간략하게 요약해주세요.
- _____(요약하려는 글)_____,
  위 내용을 키워드로 요약해서 3일 동안 암기하고 공부하려 합니다. 일일 계획표를 세워주세요.

9. 어색한 문장 찾아내기

- _____(여러분이 작성한 글)_____ 을(를) 자연스러운 문장으로 바꾸어 주세요.
- _____(여러분이 작성한 문장)_____. 이 문장의 어색한 점을 찾아서 바꾸어 주세요.

10. 수학 시험 공부에 활용하기

1단계) 시험 공부 계획 세우기 및 문제 유형 파악하기

- __(단원명)__ 에서 자주 출제되는 시험 문제유형을 정리해주세요.
- __(단원명)__ 에서 학생들이 많이 틀리는 문제유형을 리스트로 정리해주세요.
- __(단원명)__ 을(를) 어려워하는 ____(수준)____ 이 단계적으로 공부할 수 있는 계획을 세워주세요. (3주 시험 대비 일일 계획, 표 형식)

2단계) 챗GPT를 활용하여 유사한 문제나 좀 더 어려운 문제로 풀어보기

- _____(문제)_____. 이 문제와 유사한 문제를 ____(문제의 수)____ 개 출제해주세요. (__(수준 및 난이도)__), 답은 나중에 알려주세요.
- _____(문제)_____. 이런 문제를 자주 틀리면 어떤 문제로 공부해야 하는지 알려주세요. 공부법도 설명해주세요.

3단계) 챗GPT를 활용하여 예습, 복습 자료 만들기

- ____(수학 내용)____ 을(를) 예습/복습하기 위한 자료를 만들어주세요.
- ____(수학 내용)____ 을(를) 더 공부해 볼 수 있는 자료를 만들어주세요.
- ____(수학 내용)____ 이(가) 이해가 안 됩니다. 쉽게 이해할 수 있는 자료를 만들어주세요.
- ____(수학 내용)____ 을(를) 활용해서 실생활 프로젝트를 진행하려고 합니다. 주제를 추천해주세요. (리스트 형식)

4단계) 챗GPT를 활용하여 문제 해결 방법 검토하기

- _____(문제)_____, 이 문제를 여러 가지 방법으로 해결해주세요.
- _____(문제)_____, 이 문제에서 어떤 공식이나 개념을 적용해야 하나요? (리스트 형식으로, 답은 알려주지 마세요)
- _____(문제)_____, 이 문제를 푸는 데 필요한 선행 지식이 무엇인가요?

11. 챗GPT에게 수학 질문하기 (식 세우기, 수학 용어 검색)

- _____(수학 문제)_____, 위의 수학 문제를 풀기가 어렵습니다. 힌트를 주세요.
- _____(수학 용어)_____의 뜻을 알려주세요.
- _____(방정식)_____. 이 방정식의 풀이 방법을 단계적으로 알려주세요.
- _____(수학 용어)_____을(를) 분수의 나눗셈을 하는 방법을 설명해주세요.
- _____(수학 용어)_____을(를) 원주율을 유도하는 방법을 설명해주세요.

12. 계산기처럼 계산하고 수학 공식 검색하기

- _____(수학 용어)_____을(를) 구하는 공식을 알려주세요.
- _____(단원명)_____ 수학 시험에 유용한 공식을 알려주세요.

13. 수학 공부에 대한 조언 구하기

- _____(여러분이 수학공부를 할 때 겪는 문제나 어려움)_____. 어떻게 하면 할 수 있을까요?

14. 과학 개념 마인드맵 그리기

주제 : _____

수준 : _____

주제와 수준에 맞는 과학 공부용 마인드맵을 만들어주세요.

(중심 아이디어, 주요아이디어, 서브 아이디어를 리스트 형식으로)

15. 과학 용어 정리 및 참고자료 검색하기

- 과학 용어 ___**(과학 용어)**___ 이란 무엇인가요? (과학 용어 정의 검색)
- 과학 용어 ___**(과학 용어)**___ 와(과) 관련된 정보 알려주세요. (과학 용어에 대한 정보 검색)
- 과학 용어 ___**(과학 용어)**___ 을(를) 사용하는 분야는 어디인가요? (과학 용어를 사용하는 분야에 대한 정보 검색)
- 과학 용어 ___**(과학 용어)**___ 의 중요성은 무엇인가요? (과학 용어의 중요성에 대한 정보 검색)
- 과학 용어 ___**(과학 용어)**___ 와(과) 관련한 과학 논문(연구 보고서, 학술지, 기사)을 검색해줄 수 있나요? (과학 관련 참고자료 검색)
- ___**(과학 용어)**___ 을(를) 다룬 해외의 흥미로운 책을 추천해주세요. (과학 관련 도서 추천)
- ___**과학 실험 방법**___ 와(과) 관련된 해외 참고 자료를 추천해주세요. (과학 실험 방법 관련 참고자료 검색)

16. 과학 탐구 실험 및 보고서 작성하기

(1) 과학 탐구 주제 찾기

- ___(관심 분야)___ 에서 무엇을 연구할 수 있을까요?
- ___(관심 분야)___ 을(를) 다루는 연구 주제는 무엇이 있을까요?
- ___(과학적 원리나 법칙)___ 을(를) 활용하여 어떤 과학 프로젝트를 진행할 수 있을까요?
- ___(과학적 분석 방법)___ 을(를) 사용하여 어떤 연구 주제를 탐구할 수 있을까요?

(2) 과학 탐구 방법 찾기

- 실험: ___(실험 이름)___
  이 실험에서 어떻게 하면 더 정확한 결과를 얻을 수 있나요?
- ___(과학 현상)___ 을(를) 분석하는 좋은 실험 방법이 있나요?
- ___(실험 이름)___ 에서 종속변인, 통제변인, 조작변인은 무엇인가요?
- ___(가설 내용)___ . 이 가설을 검증하기 위한 실험을 설계해주세요.

(3) 과학 실험 결과 해석하기

___(실험 결과)___

위의 결괏값은 ___(실험 주제)___ 을(를) 측정한 실험 결과입니다. 실험의 결과를 자세히 해석해주세요.

(4) 참고문헌 조사하기

- __(실험 이름)__ 실험에 대한 최신 논문을 찾는 방법은 무엇인가요?
- __(과학 개념)__ 에 대한 실험을 진행하는데 필요한 과학 실험 기구 목록을 찾으려면 어떻게 해야 하나요?
- __(참고문헌의 내용)__ 을(를) 학습할 수 있는 참고자료는 어디에서 찾을 수 있나요?

17. 과학자와 대화하기

- 저는 당신이 __(과학자)__ 역할을 하기를 원합니다.
  __(하고 싶은 질문)__ ?
- __(과학자 이름)__ 의 주요 발견에 대해 알려주세요.
- __(과학 분야)__ 분야에서 가장 중요한 역사적인 사건 중 하나는 무엇인가요?

18. 과학고, 영재고 구술 면접 준비하기

저는 당신이 과학고등학교 입시 면접관 역할을 하기를 원합니다.
저는 과학고등학교 입학을 지원하는 학생이고, 당신은 중, 고등학교 수준의 과학과 관련한 질문을 해야 합니다. 저는 당신이 면접 진행자로서만 답변해주기를 바랍니다. 모든 대화를 한 번에 작성하지 마십시오. 저는 당신이 저와 면접 인터뷰만 해주기를 바랍니다. 면접관처럼 질문을 하고 답변을 기다려주십시오. 설명을 작성하지 마십시오. 면접관처럼 하나씩 질문하고 답변을 기다립니다. 제 첫 문장은 '안녕하세요'입니다.

19. 사회 교과서 및 공부할 주제 핵심 요약 하기

- ____(교과서 내용)____ 위 내용을 핵심 요약해서 리스트 형식으로 정리해주세요.
- ____(주제)____ 위의 주제를 공부할 때 알아야 할 5가지 핵심 사항은 무엇인가요?
- ____(주제)____ 위의 주제에 대해서 ____(수준)____ 학교 사회과목 시험 공부 자료로 활용할 수 있게 500자로 요약해주세요.

20. 역사 공부용 연표 만들기

- ____(역사적 시기)____의 연표를 만들어주세요.

  형식 : 리스트 형식

  특징 : 주요 사건, 주요 인물, 정치 · 문화 · 경제 사회적 변화 기술
- ____(역사적 시기)____ 시대의 연표를 5열 스프레드시트 형식으로 만들어주세요.

  연도 |주요 사건 |주요 인물 |정치 · 문화 · 경제 · 사회적 변화 |필기용 빈칸

21. 사회 프로젝트 주제에 대한 다양한 관점 이해하기

- ____(사회 프로젝트 주제)____에 대해 다양한 관점을 정리해주세요.

  형식 : 주장, 근거를 리스트 형식으로
- ____(사회 프로젝트 주제)____에 대한 토론에서 ____(관점과 생각)____ 관점의 주장과 근거를 정리해주세요.

22. OX퀴즈 및 주관식 문제 만들기

- ___(교과서 내용)___ 위의 내용에서 OX 퀴즈를 10문제 출제해주세요. 정답은 다음 답변에서 알려주세요.
- ___(교과서 내용)___ 위의 내용에서 단답형 문항을 5문제 출제해주세요. 답은 다음 답변에서 알려주세요.
- ___(사회 교과 주제)___ 위의 주제와 관련된 OX 퀴즈를 출제해주세요. 정답은 다음 답변에서 알려주세요.
- ___(사회 교과 주제)___ 위 주제에 대한 질문과 답변이 있는 2열 표를 만들어 주세요.

23. 챗GPT와 영어로 대화 나누기

- Can we have a conversation about ___(대화의 주제)___ ?
- Let's talk and You'll help me fix any mistakes I make.
- Can you suggest some vocabulary words that I can use during our conversation? (어휘 정리가 필요할 때)
- Can you recommend some phrasal verbs that I can utilize during our conversation? (구동사 정리가 필요할 때)

24. 영어 문법 설명 및 문법 오류 찾기

- What is the present perfect tense? ('현재 완료 시제'에 대해 설명해주세요.)
- How do you form the comparative and superlative forms of adjectives? (형용사의 비교급과 최상급 형태를 어떻게 만드는지에 대해서 설명해주세요.)
- What is a subject-verb agreement? ('주어와 동사의 일치'에 설명해주세요.)
- What are the different types of adverbs? ('부사의 다양한 유형'에 대해 설명해주세요.)
- How do you use modal verbs? ('조동사를 어떻게 사용하는지'에 대해 설명해주세요.)
- What is a relative pronoun? ('관계 대명사'에 대해 설명해주세요.)
- How do you use prepositions? ('전치사를 어떻게 사용하는지'에 대해 설명해주세요.)
- What is the difference between countable and uncountable nouns? ('가산명사와 불가산명사의 차이'에 대해 설명해주세요.)

25. 일상적 대화 스크립트 만들기

- Write a conversation at the school. (학교에서 일어날 수 있는 영어 대화를 만들어주세요)
- Write a conversation at the restaurant. (식당에서 일어날 수 있는 영어 대화를 만들어주세요)
- Write a conversation between two friends about favorite foods. (좋아하는 음식에 대해 영어로 이야기 나누는 두 사람의 영어 대화를 만들어주세요)
- What should I say to my teacher if I want to know how to study math? (영어 대화 형식)

26. 빈칸 채우기 문제 만들기

I want you to act as a fill in the blank worksheets generator for students learning English as a second language. Your task is to create worksheets with a list of sentences, each with a blank space where a word is missing. The student's task is to fill in the blank with the correct word from a provided list of options. The sentences should be grammatically correct and appropriate for students at ____ **(빈칸 채우기 문제 수준)** ____ Your worksheets should not include any explanations or additional instructions, just the list of sentences and word options. To get started, please provide me with a list of words and the only one sentence containing the one blank space where one of the words should be inserted.

27. 영어로 된 글 번역하기

I want you to act as an English translator, spelling corrector and improver. I will speak to you in any language and you will detect the language, translate it and answer in the corrected and improved version of my text, in Korean. I want you to replace my words and sentences with simple and easy words and sentences to understand. Keep the meaning same, but make them simple. I want you to only reply the correction, the improvements and nothing else, do not write explanations. My first senteces are as follows.

____ **(번역하려는 글의 내용)** ____

28. 나만의 어휘장 만들기

• Make me an English vocabulary list about ___(주제)___ (___(주제)___ 와 관련된 영어 단어 목록을 만들어 주세요.)

• Create a list of ___(영어 단어의 개수)___ English words related to ___(주제)___ (___(주제)___ 와 관련된 영어 단어를 ___(영어 단어의 개수)___ 만큼 만들어 주세요.)

• Can you make a list of the most popular phrasal verbs and provide definitions and examples? (가장 많이 쓰이는 영어 구동사 목록을 만들고 의미와 예시 문장을 제공해주세요.)

• ___(관용어구가 사용되는 상황)___ 에서 사용되는 영어 관용어구와 표현을 정리해주세요.